Mıgırdiç Margosyan, 23 Aralık 1938'de Diyarbakır'da, Hançepek Mahallesi'nde (Gâvur Mahallesi) doğdu. Ortaokuldan sonra öğrenimini İstanbul'da Getronagan Lisesi'nde sürdürdü. İstanbul Üniversitesi Edebiyat Fakültesi Felsefe Bölümü'nü bitirdi. 1966-1972 yılları arasında Üsküdar Surp Haç Tıbrevank Lisesi'nde felsefe, psikoloji, Ermeni dili ve edebiyatı öğretmenliği ve okul müdürlüğü yaptı. Daha sonra öğretmenliği bırakarak ticarete atıldı. Edebi çalışmalarını aralıksız sürdürdü. Öyküleri Marmara gazetesinde yayınlandı. 1988 yılında, Ermenice yazan yazarlara verilen Eliz Kavukçuyan Vakfı Edebiyat Ödülü'nü (Paris-Fransa) aldığı öykülerden üçü bu kitapta Türkçe çevirisiyle yer almaktadır.

SÖYLE MARGOS NERELİSEN?

Yayın hakları Mıgırdiç Margosyan
ve Aras Yayıncılık'a aittir

İstiklal Caddesi, Hıdivyal Palas 465/Zemin kat
80050 Beyoğlu-İstanbul
P.K. 498 Beyoğlu-İstanbul
Tel: (0-212) 252 65 18
Fax: (0-212) 252 65 19

Kapak Fotografı
"Puşi"cilik yapan dört Ermeni gencinin
Dağkapı'da çektirdikleri *Diyarbakır Hatırası*, 1947
Soldan sağa: Bedros Başak, Yakup Bostancı (Keke Yako),
Giragos Başak. Oturan: Rişar (Reşit) Taşçıyan

Kapak Tasarımı
Vartan Paçacı

Dizgi
Maraton Dizgievi

Baskı ve Cilt
Egemen Matbaacılık Ltd. Şti.

1. Baskı: İstanbul......Nisan 1995
2. Baskı: İstanbul..Ağustos 1995
3. Baskı: İstanbul......Şubat 1996
4. Baskı: İstanbul.....Mayıs 1997

ISBN 975-7265-03-9

SÖYLE MARGOS NERELİSEN?

ÖYKÜ

MIGIRDİÇ MARGOSYAN

ARAS

Yazılarımda, bizim oraları anlattım, gördüğüm ve yaşadığım gibi. Tipleri ve adlarını hemen hemen aynen verdim, değiştirmeden, oldukları gibi.

Onlardan, o "baco"lardan, o dayılardan, o amcalardan çoğu öte tarafa göçmüşlerdir.

Adları, hatıraları biraz da bu satırlarda, bu kitapta yaşasın.

M. Margosyan

ÖNSÖZ

"Önsözler genellikle okunmaz..."

Mıhitarist 'vartabed' Arsen Aydınyan, 1866 yılında Viyana'da Ermenice olarak yayınlanan sekizyüzkırk sayfalık eşsiz eseri "Çağdaş Ermeni Dilinin Dilbilgisi" adlı kitabının önsözünü bu cümleyle başlatır, ama altı sayfalık bir önsöz yazmaktan da kendini alamaz.

Biz de Aydınyan kadar olmasa da, Ermenice edebiyat ürünleri Türkçe'de pek bilinmediği ve kimi örnekleri Türkçe'ye ancak son yıllarda, o da çok sınırlı olarak aktarıldığı için, elinizdeki kitabın ardalanına ilişkin olarak birkaç söz etmeden geçemedik.

Gâvur Mahallesi adlı kitabıyla Türkçe olarak da okunmaya başlayan Mıgırdiç Margosyan, Ermenilerin *kavaragan kraganutyun* dedikleri ve Türkçe'ye 'köy edebiyatı' veya 'taşra edebiyatı' olarak çevrilebilecek bir ekolün yaşayan son temsilcisi olarak adlandırılagelmiştir.

*

Ermenice edebiyatta taşra edebiyatının temelleri iki koldan atılmıştır: Kafkasya'da veya bugünkü İran ve Ermenistan'da konuşulan 'Doğu Ermenicesi' ve Anadolu topraklarında, 1915'ten sonra da birçok ülkeye dağılan Ermenilerce konuşulan 'Batı Ermenicesi' lehçesi ile... Bu iki lehçenin dilbilgisi ve ses değerleri yönünden farklılıklarına karşın, hem konuşma, hem de yazı dili olarak iki ayrı dünya yaratacak özellikte olmaması ve karşılıklı, özellikle aydınlar arasında hiç sorunsuz anlaşılıyor olması, taşra edebiyatının beslenme kaynaklarının kendi içinde bir bütün olmasını da getirmiştir.

Ermenice edebiyatta köyün işlenmesi, ancak 19. yüzyılda başlar. Halk şiiri, folklorik sözlü ürünler, bütün dallarıyla çok daha erken gelişmiş ve klasik Ermenice edebiyatta, çağına göre ay za da çok etkisini göstermiştir; ama panoraması, törenleri, töreleri, yaşantısı, örf ve adetleri, özgün karakteriyle, köy, Ermenice edebiyatta, 19. yüzyıldan önce hemen hemen hiç gözükmez.

Ermenice edebiyata köyün ilk, gerçek anlamda ve ciddi biçimde girişi, 19. yüzyılda Haçadur Apovyan ile olmuştur. Kendisi gibi Doğu Ermenicesi ile yazan Broşyants, Raffi, Muratsan, Leo, Aharonyan, V. Papazyan, Şirvanzade gibi yazarlar, bazı eserlerinde Ermeni köylüsünü betimlemişler, Kamar Katiba, Hovhannesyan ve İsahagyan da bu temaya şiirlerinde yer vermişlerdir.

Batı Ermenicesinde ise halk şarkılarına, ortaçağın "aşuğ" şiirlerine ilk eğilen, (Peder) Ğevont Alişan'dır. Özellikle Van ve Muş yöresinde matbaa, gazete ve okul kurarak edebi bir atılıma öncülük eden (Peder) Hırimyan Hayrik, *Dede ve Torun* adlı eserinde Ermeni köyünü, köy yaşamını betimleyip yorumlar. Onun öğrencisi de olan (Peder) Karekin Sırvantsdyants ise, karış karış dolaştığı Anadolu'da derlediği ürünlerle Ermeni folklorunun kuruluğunu yapmış, Ermeni halk hikayelerinin ve şarkılarının zengin bir antolojisini yayınlamış, gezi notlarıyla da Ermeni köyü ve köylüsünün en ilginç betimleyicilerinden biri olmuştur. Onun folklorik çalışmalarını Çituni zenginleştirirken, edebi yönünü de Palulu Melkon Gürciyan(1859-1915), Muşlu Keğam Der Garabedyan(1865-1918), Harputlu Hovhannes Harutyunyan (1860-1915) ve Siverekli Rupen Zartaryan(1874-1915) sürdürmüştür.

Ermenice edebiyat başta İstanbul ve Tiflis olmak üzere, Venedik, Paris, Viyana, Moskova, İzmir gibi çok farklı metropollerde gelişmiştir. Taşra edebiyatının da en hararetli merkezi İstanbul olmuştur. Bu tür, 19. yüzyılın sonu ve 20. yüzyılın başında Anadolu'nun çalkantılı siyasal, toplumsal ortamının ürünü olarak, kendisini adeta aşağıdan zorlamayla dayatmış, İstanbul Ermeni edebiyat çevrelerinde İstanbul-taşra ikilemi çerçevesinde yoğun tartışmalar yaratmıştır.

1915'ten sonra taşra edebiyatı temsilcilerinin çoğunun yaşama veda etmesiyle bu türün örnekleri Anadolu'dan çok uzakta, başka ülkelerde verilir olmuştur. Buna en çarpıcı örnek, 1913'te Amerika'ya göçen ve orada Hamasdeğ malhasıyla yazan Harput'un Perçenç köyünden Hampartsum Gelenyan'dır.

*

Taşra edebiyatının İstanbul'da artık örneklerini vermez gözüktüğü Cumhuriyet döneminde, Erzincan'ın Armıdan köyünden Hagop Mıntsuri(1886-1978), adeta közler içinden yeni bir alev olarak belirir ve Gabuyd Luys(1958), Armıdan(1966), Grung Usdi Gu Kas(1974) adlı eserleriyle, taşra edebiyatından yeniden söz edilmesini sağlar.

Okuyucunun Türkçe'de Tarih Vakfı yayınları arasında çıkan İstanbul Anıları adlı kitabıyla tanıdığı Mıntsuri'nin genç çağdaşı Margosyan ise, Mıntsuri ile birlikte "artık bitti" denilen taşra edebiyatının bu kez yeni bir düzlemde gündeme gelmesine neden olur.

İstanbul'da 1940'tan beri yayın hayatını sürdüren günlük Ermenice gazete Marmara'da yayınladığı ve ilk kez 1984'te Mer Ayt Goğmen adıyla kitaplaştırılan öykülerinde Diyarbakır yöresini anlatan Margosyan, objektifini özellikle 1940'lı, 1950'li yıllarda Diyarbakır'daki sıradan insanların günlük yaşamlarına odaklayarak bu tarihi, kozmopolit şehirden ilginç kesitler sunar ve birçokları için yeni, sevecen bir pencere açar.

Mıntsuri, 21 Kasım 1974'te Marmara gazetesinde yayınlanan Margosyan'ın "Halil İbrahim" adlı öyküsünden etkilenerek, yazara gönderdiği ve yine 18 Mart 1976'da Marmara'da yayınlanan mektubunda şöyle der: "[Öyküü kağıtlarımın arasında bulunca] sevindim ve tekrar okudum. Gene güzel buldum. Öykün kadar, söyleme biçimin de tam benim sevdiğim türden. Ben de öyle yazarım. Bir madendi çıkardığın, hayır, topraktan değil, kendi ocağındandı, kendi içinden. Bilir misin, her zaman olmaz bu. Bu, saf altındı, taşa, toprağa bulanmıştı, silip temizlememiştin. Taşralı rengini korumak için isteyerek bırakmıştın, diyorum ben..."

Yazar hakkında daha fazla söz etmektense, elinizdeki kitabı sunmakla yetiniyoruz. Taşra edebiyatına gelince... "herhalde bu son" gibi bir yargı erken olsa da, halihazırda, İstanbul Ermeni yazarları arasında Margosyan'dan başka bu tür eser verene rastlanmamakta, ancak gene gazete sütunlarında zaman zaman eski kuşaktan insanların yayınladıkları kimi anılar göze çarpmaktadır.

Ve son olarak, bu kitapta yer alan öykülerin bir bölümünün Ermenice'den çeviri olmayıp, doğrudan doğruya Türkçe yazılmış olması, Margosyan'ın salt Ermenice edebiyat içinde değil, aynı zamanda Türkçe edebiyat içinde de değerlendirilmesi gereğine işaret etmektedir.

Aras Yayıncılık

"PIŞT BEMURAD, PIŞT"

Bizim oralarda, bizim yörelerde, Diyarbakır'da, Dicle kıyılarında, ulu Tanrı'mızın güneşi, özellikle yaz aylarında güneş olmaktan çıkar, ateş topuna dönüşür, başımızdan aşağı acımasızca yağar, avlumuzun zavallı yaşlı siyah taşlarına çöreklenirdi. Toprak evimizin bu yaşlı taşları da gün boyu durmadan başlarını gök yüzüne çevirir, gelen geçen bulutlardan bir damla yağmur, iki damla gözyaşı dilenir, yaşam kavgasında 'su, su, suuu' diye inlerlerdi.

Anam Hıno, avlumuzun taşlarının taş kesilerek sonsuza dek susmadıklarını, aksine 'suu, suuu' diye yalvarıp yakardıklarını hisseder, o andaki işini yarım bırakır, avludaki kuyudan birkaç kova su çeker ve 'şaarrr' diye dilenci taşların başından aşağı boca ederdi. Avlumuzun bu bağrı yanık taşları daha fazlasını kana kana içemediklerinden, kuyumuzun serin taşlarını kıskanır, hasetlerinden çatlar, sinirlerinden küplere biner ve kızgınlıklarından köpürerek gökyüzüne doğru bulut gibi yükselen buharlarını koyverirken bir yandan da dualarını esirgemezlerdi:

"Tuttuğun taş altın olsun Hanım Baco!"

"Ölmüş baban Halo'nun ruhuna rahmet!"

Anam, taşlarımızın taş yüreklerinden yükselen bu dualarına sevinir, o da daha geçenlerde ölen babası Halo'nun ruhu için Tanrı'dan rahmet diler, avludaki kuyudan bir "sıtıl" su daha çekerek yüzünü, gözünü yıkar, artık tek tük kırlaşmaya başlayan saçlarını ıslatır, birazcık serinleyince "oğh, oğh, oğhhh" diyerek mutfağa yönelir, az önce yaktığı odun ateşine yerleştirdiği sacın üstünde yufka ekmeği pişirmeye koyulurdu.

Nenemin çamaşır ipindeki uzun donunun avluya vuran gölgesinde, bir gözü açık, diğeri yarı kapalı, uyumaya çalışan evin kedisi Mestan sıcaktan bunalır, yerinden kalkar, gezinir, tembel tembel, miskin miskin esner, başını sağa sola çevirerek bunaltıcı bu yaz gününde gidecek bir başka yer, daha serin, kuytu bir köşe arardı. Aslında Mestan akıllı, uyanık bir kediydi. Deneyimlerine dayanarak biliyordu ki, Dicle kıyılarında, Dicle sularının yüzyıllardan beri akıp gittiği bu yörelerde, eski adıyla Amit, bir adıyla Dikranagerd, daha sonra Diyarbekir ve nihayet Diyarbakır denen, etrafı Çin Seddi'nden sonra dünyanın en uzun surlarıyla çevrili bu beldede, bu tarihi kentte, gökyüzünde ulu Tanrı'nın hiç sönmeyen ve hiç eksilmeyen güneşinin asılı durduğu bu yaz aylarında, bu taşlarda yürümeye kalkışmak ancak aptal, salak, mankafa kedilerin işiydi. Bu nedenle her yıl üşenmeden doğurduğu yavrularına, sayılarını kendisinin de çoğu kez unuttuğu torunlarına, kulaklarına küpe olsun diye her fırsatta şu sözleri tekrarlayıp duruyordu:

"Hanım Baco avluyu yıkamadan, Senem Baco'nun uzun basma donunun gölgesinden sakın kıpırdamayın ha! Yoksa güneşin altında pişen taşlar kızgınlıklarını sizden almaya kalkışır, minik ayaklarınızı cız ederler."

Mestan'ın akıllı oluşu dışında bir özelliği de iki kuyruklu oluşuydu.

Bunu saçma bularak kedilerin iki kuyruklu olamayacağını söyleyebilir ve haklı olarak da kedilerin ne zamandan beri iki kuyruklu olduklarını sorabilirsiniz. Ama öyleydi. İki kuyrukluydu. Birisi anadan doğma uzun kuyruğu, diğeri de sonradan peşine takılan kuyruğu, yani ben!

Ben henüz Mestan'ın kuyruğu falan değilken, uslu uslu anamın memelerini emiyor, tatlı tatlı sütümü içiyordum. O günlerde Mestan da anasının memelerinin peşindeydi. Aslında bu süt emme konusunda ben Mestan'a bayağı fark atıyordum. Anamın hastalanıp yorgan döşek yatması, benim sütsüz kalmam için yeterli bir neden değildi. Ben bu gibi durumlarda hiç aç kalmıyordum. Anam hasta idiyse, kapı komşumuz Verto Baco da mı hastaydı? Hadi diyelim ki o da hasta veya hasta değil de, bu cehennemi sıcakta yapacak başka işi yokmuş gibi kalkıp Deve Hamamı'na yıkanmaya gitmiş! Peki ama başka "baco" yok muydu memesini ağzıma tıkacak? Mestan'ın anasının memeleri mahallemizin tüm "baco"larının memeleriyle yarışabilir miydi? Hem ben avazım çıktığınca ciyaklayarak bütün bir mahalleyi ayağa kaldırmayı, sesimi Gâvur Mahallesi'nin, Gâvur Meydanı'nın en sağır "baco"larına bile ulaştırabilmeyi başarabiliyor ve bunu sıkça yapıyorsam tostoparlak olmaz mıydım?

Evet, ben Mestan'ın ikinci kuyruğuydum. Mestan nerede, ben orada! Mestan kıtık dolu sedir yastığının yanına kıvrılmış uyumaya mı çalışıyordu? Ben de emekleyerek, yuvarlanarak gidip yanına kıvrılıyordum. Mestan avludaki geniş taş mutfağımıza yönelip bir şeyler mi aşırmayı planlıyordu? Ardından hemen yetişiyordum. Mestan uzun kuyruğunu bir yerlere sıkıştırıp can havliyle miyavlamaya mı başladı? Ben de korkumdan, avazım çıktığınca ağlamaya başlıyordum. Canı yandığında ona ne kadar acıdığımı seziyor, kuyruğunu pabuç kadar büyük diliyle temizledikten sonra, bu kez de benim çıplak ayaklarımı, ellerimi, yüzümü yalıyordu. Mestan avludaki taş merdivenlerden eyvana tırmanırken, ben de peşinden sekiyordum. O, pençeleri üzerinde gerinerek basamakları bir bir geçip giderken, ben de aynı yöntemle tırmanmaya çalışıyordum. Bunu zaman zaman gerçekleştiriyor, zaman zaman da kendimi en alt basamağın başında buluyordum... Beceriksizce düşüp kafamı gözümü yardığımda, ağzımı burnumu dağıttığımda, dizimi dirseğimi kanattığımda, hemen ağlayıp zırlıyordum.

İki gözüm iki çeşme, burnumu çeke çeke ciyaklamalarıma, eyvandan beni seyreden Mestan'ın miyavlamalarına, anamın feryatları yetişip koroyu tamamlıyordu:

"Uyy, uyy, ezım ezım ezılesen, geberesen! Uyy, uyy, uyy, işşallah kurtlanasan, koğhasan, eşegın oğli! Gene nerden düştın?"

Anam sorusunun cevabını zaten beklemiyordu. İşini yarım bırakarak can havliyle 'eşşoğlu'sunun yanına koşuyor, yerden kaptığı gibi doğruca kuyunun başına götürerek kanayan elimi, yüzümü yıkıyordu. Tüm bunların kimin başının altından çıktığını bildiğinden, korku belasına kaçıp damdaki tahta yağmur "çırton"unda gizlenmeye çalışan Mestan'a veryansın ediyordu:

"Pışt bemurad, pışt!"

Mestan bu gibi durumlarda Hanım Baco'nun neden her defasında kendisini suçlu bulduğuna, bunca akıllılığına rağmen bir türlü akıl sır erdiremiyordu. Onun neden ikide bir kendisine "bemurad" diyip beddualar yağdırdığını, "pışt, pışt" diyerek neden horlayıp kovaladığını anlamakta zorluk çekiyordu. Oysa yaptığı tek şey, onun bu boklu, bu bitli, sulu göz oğluna arkadaşlık etmekti. Ama hep kendisinin suçlanmasına kızıyor, kem talihine küsüyordu. Ben ağlamamı sürdürürken Mestan damdan atlayıp dut ağacının gövdesinde tırnaklarını kaşıyıp sivrilttikten sonra, ağacın dalları arasında bir süre etrafın yatışmasını bekliyor, Hanım Baco'nun öfke dolu tek gözünden uzakta dinlenmeye çekiliyordu.

Burada kilisemizin papazı Der Arsen'in kutsal İncil'i önünde diz çöküp şu gerçeği belirtmek gerekir: Anam genelde "eşegın oğli" ile "bemurad"ı karıştırıyordu. Bunu özellikle ikimizin de tostoparlak olduğu, ikimizin de emeklediği, yerde dört ayak üstünde sürüklendiği günlerde daha çok yapıyordu. Anamın memelerini her fırsatta emerek, yerde bulduğum, tutabildiğim, elime geçirdiğim her şeyi yiyerek topaç gibi olmuştum. Zekice denemelerim sayesinde artık kesinlikle biliyordum: Teneke kesicidir! Mıh, delicidir! Arı soktuğunda canın acır, parmakların veya burnun şişer! Ateşe dokunduğunda yanarsın! İşin ilginç yanı, benim bütün bu dahiyane buluşlarıma karşılık, hemen ardından da anamın gecikmiş uyarıları gelir, kulaklarımda çınlardı:

"Uyy, başan başından böyük daşlar yağa! Tenekeyle oynama!

Bağh, elın kestın!"

"Uyy, geberesen, gidesen! Görmisen? Pasli nal miğhına basmişsan. Ula, ayağın delınacağ!"

"Uyy, kor ocağ olasan köpegın oğli ! Eşek arusını niye yedın? Dilın şimdi davul kimi şişecağ!"

"Uyy, cehnem ataşında kömür kimi yanasan! Ula, ataş elle tutulur?"

Ben, mıhları, tenekeleri, ateşi, arıları keşfettiğim dönemlerde, Mestan çok daha yararlı, lezzetli yiyeceklerle tanışıp duruyordu. Gizlice, kimselere görünmeden yürüttüğü bir parça otlu peyniri veya mutfaktaki et çengelinde asılı duran, üstünde sineklerin cirit attığı bir parça kuyruk yağını, bez torbalar içinde eyvanın direklerinden asılarak kurumaya bırakılmış, şeytanın bile zor ulaşabileceği nefis bir sucuğu, sucuğa yetişemediği zamanlarda hemen yanıbaşındaki bol çemenli pastırmayı kaptığı gibi dama fırlayıp şapur şupur midesine indiriyor, giderek benim gibi o da tombullaşıyordu.

Mestan'ın gizlice, yavaş yavaş, çaktırmadan yürüttüğü ufak tefek yiyeceklere, anam başlangıçta uzun boylu bir tepki göstermedi. Görmezlikten geldi. "Küçüktır, daha barmağ kederdır" dedi ve biri zaten görmeyen gözlerini bu tür olaylar karşısında tümden kapattı. Mestan onun bu iyi niyetinin pek farkında olmadı. Anamın boş verip görmezlikten gelişini yanlış değerlendirdi. Onu hepten kör sandı. Giderek şımardı, işi yüzsüzlüğe vurdu. Anamın ise sonunda sabrı taştı. Artık Mestan'a dersini verme zamanının geldiğine karar verdi. Önce tatlı dille uyardı:

"Mestan, şırğızlığ yapma!"

Mestan'ın hemen hemen hiç tınmadığını, laf dinlemeye hiç niyetli olmadığını görünce bu kez aynı cümleyi bir de Kürtçe yineledi:

"Mestan, dızı neke!"

Mestan sanki hiç Kürtçe bilmiyormuş gibi, sanki Kürtçeyi daha önce hiç duymamış gibi, anlamamazlığa vurarak, tutturduğu yolu inatla sürdürerek tam anlamıyla sağırlık numarasına yattı. Anam onun sağır olmadığını çok iyi bildiğinden, belki kulaklarını daha iyi açar, belki bu kez söz dinler düşüncesiyle yine Mestan'ın kulakları dibinde ve daha yüksek sesle, Zazaca tekrarladı:

"Mestan, dızdeniye meke!"

Anamın tanıdığı benim gibi götü boklu Mestan gitmiş, yerine sanki hiç tanımadığı bir uyuz kedi gelmişti. Anamın tüm çabalarına, tüm didinmelerine karşılık, işi daha da azıtıyor, laf dinleyeceğine, vurdumduymazlıkta diretiyordu. Hanım Baco aslında iyi, hatta yufka yürekliydi. Hiç kimsenin kalbini kırmak istemezdi. İyilik yapmaktan hoşlanır, mutlu olurdu. Hayvanlara karşı da merhametli davranır, onları elinden geldiğince kollardı. Sabrına biraz daha sabır katıp son bir kez de, Mestan daha çok küçükken, daha bir "kırtik"ken kulağına eğilip öğrettiği Ermeniceyle söylemeyi denedi.

"Mestan, koğutyun mene!"

Anam dil konusundaki tüm bilgisini, tüm kültürünü Mestan'ın önüne serip döktüğü halde, onu, tuttuğu bu yanlış yoldan vazgeçiremeyeceğini, harcadığı çabaların boşa gittiğini acı da olsa, istemiyerek kabullendi. Hanım Baco'nun bütün iyi niyetine karşılık, Mestan, bir parça peyniri, bir parça sucuğu, pastırmayı tercih etmekte sakınca görmüyordu. Kısaca Mestan yoldan çıkmıştı. Başka dillere kulak asmıyor, kendi dilinin doğrultusuna gidiyordu.

Anam Mestan'dan tamamiyle ümit kesince, bu kez Mestan'ın anlayacağı dili kullanmaya ister istemez, içi burkularak karar verdi. Hanım Baco'nun bu kararının hemen ardından, Mestan, anamın ellerinin ne denli nasırlı olduğunu ilk kez anladı ve çok şaşırdı.

Bu ilk tokat, anamla Mestan arasında sessiz, ama sonsuza dek sürecek bir savaşın da başlangıcı oldu.

Mestan artık evimizin herhangi bir yerinde, avluda, eşikte, damda, mutfakta, kilerde, nar veya dut ağacının gölgesinde, taş merdivenlerin basamaklarında, velhasıl hangi köşe ve bucakta olursa olsun, hep tek gözünü kapatarak uyumaya başladı. İki gözünü kapayıp rahat bir uykuya dalamadı. Anam da gören gözünü artık hiç kırpmadı, kapamadı, aksine daha da çok açmaya başladı.

Mestan fırsatları iyi kollayıp tüm bu hırsızlıkları yaparken, Hanım Baco'nun ona artık resmen "ğırğız", "heydut" ve özellikle "nankor" gibi sıfatlar takması hiç mi hiç umurunda değildi. Onun için önemli olan, anamın gözlerine ilişmeden, daha doğrusu gören tek gözüne gözükmeden, kaptığı ganimeti dam başında, loş taşının gölgesinde ace-

14

leyle yutuvermekti. Anam ve Mestan arasında bitmeyen sonsuz bir savaş sürerken çoğu kez yenilgiye uğrayıp yakayı ele veren Mestan'dı. Hırsızlığa çıktığında, anam o anda kafasına indirecek bir şeyler muhakkak buluyordu. Böylece Mestan kısa zamanda evimizin eşyalarını, öğretmeni Hanım Baco'nun sayesinde öğreniyor, ilk derste çalı süpürgesiyle tanışıyordu! Anam derslere mutfaktaki diğer eşyalarımızla devam ediyor, bunları Mestan'a birer birer ezberletiyordu. İlk öğrettikleri arasında "egiş", "carut", maşa ve "lülüg" sayılabilirdi. Hanım Baco'nun kanaatine göre Mestan sadece "heydut", "ğırğız", "nankor" değil, aynı zamanda "göz ac"dı ve zaten onun bu açgözlülüğü nedeniyle mecburen, ister istemez onun başına öğretmen kesilmişti. Böylece "egiş"in, Demirci Haço tarafından yapıldığını, mangaldaki külleri düzeltmek, közleri külle örtmek için kullanıldığını, Milat'tan tam beş asır önce icat edildiğini, kilerdeki peynir küpünün başında verdiği bir tarih dersinde "egiş"i Mestan'ın sırtına indirerek belletiyordu.

Mestan, pastırma hırsızlığına soyunduğu bir başka gün, "carut"un sacdan yapıldığını, esasen odun sobasından ateş çekip mangala aktarmaya yaradığını, en önemli yan işlevinin de pastırmalara dadanan kendi gibilerinin bitli başına indirilmek olduğunu öğrendi.

Anam mutfakta tahta oturağın üstüne oturduktan sonra, "habeş"te ateş yakmak üzere çömelip üflemek için "lülüg"ü ağzına götürdüğü zaman, bizim aklı evvel Mestan, onun kaval çaldığını zannetmiş, kaval çalma faslından sonra da hoyrat tutturarak,

"Gül memenden
Gül koğhar gül memenden
Can evi veran olır
Kaş çatıp gülmemenden"
diyerek oyalanacağını, ardında da,
"Diyarbekir dört yoldır
Suyi güzel ve boldır
Senden ricam, bıze gel
Ben içeyım sen doldır"
diyeceğini düşünerek doğruca kilere dalmıştı. Mestan, Hanım Baco'nun maniler, ardından şarkılar, onun da ardından türküler dök-

türeceğinden kendince emin, çarşıdan yeni gelmiş yoğurt dolu bakracın başına salına salına yürüyor, ama fazla da oyalanmaması gerektiğini iyi biliyordu. Çünkü birazdan Hanım Baco bakraçtaki yoğurdu bez torbaya doldurup tavandaki çividen asacak, bunu yaptığı andan itibaren de, Mestan kuş olsa oraya yetişemeyecekti. Öyleyse hemen yoğurda dalmalıydı. Onun kaşığı, pabuç kadar büyük pembe diliydi. Dilini kaşık gibi kullanmakta çok mahirdi ama, bu şapur şupurların, bu, "ben içeyım, sen doldır"ların Hanım Baco'nun kulağına gideceğini doğrusu hiç tahmin etmiyordu. Oysa Hanım Baco, Mestan'ın gözden kaybolduğu anlarda muhakkak bir yerlerde dümen çevirdiğini bildiğinden, zaten fazla gecikmeden "lülüg"ü Mestan'ın ensesine indirmişti. Mestan ensesinde boza pişiren "lülüg"ün tadını alınca, onun da ağaçtan değil, bilakis demirden olduğunu ve hele hele kaval-maval gibi bir şey olmadığını şıp diye anlamıştı.

Anam ekmek kazanının hemen yanıbaşında biten Mestan'a "pışt, de mirad pışt" deyip bir tekme indirince, Mestan, anamın ayağındaki nalınları farkediyor, yediği tekmenin sızısını neden ta iliklerinde hissettiğini daha da iyi anlıyordu. İşin kötüsü Hanım Baco'nun ayağında hep "kapkap"ları vardı. Avluda, mutfakta, eyvanda, damda, kilerde, bahçede yürürken hep 'kap-kap-kap' diye ses çıkaran ve belki de bu yüzden adı "kapkap"a çıkan nalınlar ayaklarından hiç mi hiç eksik olmazdı. Dahası, terlik niyetine ayağa geçirilen ve yumuşak deri yerine, sert meşe veya gürgenden yapılan bu kapkaplarla tanıştıkça, Mestan, dağarcığına ağaç türlerini de katıyordu. Onun ağaç türleri ve onlardan yapılan diğer eşyaları tanımasına, genel kültürünü geliştirip cahil kalmamasına, anam giderek daha çok özen gösteriyor, daha çok çaba harcıyordu. Mutfakta yufka ekmeği pişirmekle meşgul, işi başından aşkın Hanım Baco'nun yufka açma tekniğini yakından incelemek, eğer becerebilirse bir de taze ekmeğin tadına bakmayı denemek isteyen Mestan, bu kez adına oklava denen, yufka açmaya yarayan bu nesnenin ıhlamur ağacından yapıldığını ve bu gâvur kızın elinde böğre saplanacak bir ok olduğunu da öğrenmeye devam ediyordu.

Hanım Baco'nun işleri nedense hiç bitmek bilmiyordu. Sanki dünyanın tüm işleri onun başına yığılmıştı. Sanki yapacak başka hiçbir şey yokmuş gibi şimdi de kalkmış "çortan" dediği kuru ayran topakları hazırlıyordu.

Bizim yörelerde, kış ortasında canınız çektiği zaman şöyle bir parçacık yoğurt yiyeyim derseniz avucunuzu yalarsınız. Yoğurt dediğin de öyle şıp diye bulunmaz ki! O zaman yapılacak iş Hanım Baco gibi yazdan tedarikli olmak, kocası Sıke'nin Yoğurt Pazarı'ndan kalaylı bakır "sıtıl" içinde satın alıp hamalla eve gönderdiği koca bir bakraç yoğurdu bez bir torbaya asıp sularını süzmektir. Bez torbadan 'tıp-tıp-tıp' diye damlayan yoğurdun son 'tıp'la sesi soluğu kesilince, süzme yoğurdunuz hazır demektir. Hanım Baco'yu dikkatle izlemeye devam ederseniz, torbayı yere indirdikten sonra, süzülmüş yoğurdu bu kez bizim köse Astur Dayı'nın sakallarına eş sayıda daha küçük torbacıklara kardeş payı yaparak böldüğünü, bu minik bez torbaları da anası Senem Baco'nun çamaşır ipindeki donunun yanına, askerleri sıraya dizen bir komutan gibi, güneş altında kurumaya serdiğini görecek ve hayretler içinde belki de şöyle diyeceksiniz:

"Şaştım, lal oldum... Bu yaşıma geldim, ipe un serildiğini duydum ama, yoğurt asıldığını yeni görüyorum. Pes doğrusu!"

Anamın işine Mestan bile akıl sır erdiremedikten sonra, kim erdirebilirdi ki?

Kış geldiğinde, babam Sıke'nin, nenem Senem'in, dedem Halo'nun, babamın anası Saro nenemin, koro halinde, hep bir ağızdan şöyle seslendiklerini hiç duymadınız mu?

"Hıno, Hıno, kız bemurad olmayasan. Di hade, tembelliğ etme, kağh bıze bi 'çortan abur' kaynat, hep barabar, özi özımıze yiyağh!"

Anam bu dörtlü koroyu kırmaz, kalkıp eşikteki "kapkap"larını ayağına geçirir, avluya çıkar, karlara bata çıka kilere ulaşır ve kurumuş, taşlaşmış, her biri kaya parçasını andıran bu yoğurt topaklarının bulunduğu küpe yönelirdi.

Anam bir tencerenin içine bu topaklardan birkaç tane koyduktan, üzerine üç-dört tas su ilave ettikten sonra, tencereyi kaptığı gibi odun sobasının ısıttığı sıcak odamıza döner, yerde bağdaş kurup oturur, bu taşlaşmış yoğurt topaklarını eritmek için elindeki bir ucu ince, diğeri kalın sopayı, tencerenin içine daldırarak bitip tükenmek bilmeyen karıştırmasına başlardı. Erimek nedir bilmeyen kaya parçaları da direndikçe direnir, anamın canını çıkarırlardı. Anam yorulunca nenelerim, onlar da yorulunca dedem bu karıştırma işine yardım ederlerdi. Tüm ailenin çabalarına direnemeyeceğini, başa çıkamıyacağını anlayan zavallı topaklar yenilgiye uğradıkça, tenceredeki suyun rengi beyaza dönüşürdü. Ayran hazırlanınca tencere harlı harlı yanan sobanın üzerine yerleştirilir, içine yarma ilave edilirdi. Sonra yine bitip tükenmeyen karıştırma faslına geçilirdi. Yarmalar iyice pişip dedemin ve nenelerimin dişsiz damaklarıyla ezebilecekleri kıvama geldiğinde, anam içine bir tutam da tuz ilave ederdi. Tuzun ilavesi çorbanın artık içilmek için hazır olduğunun işaretiydi. Anam yerdeki sofra bezimizin üstüne tencereyi koyar, herkesin eline kaşığını tutuştururdu. Çorbanın sıcak buğusu odamızda yükselip henüz tavana ulaşmadan biz kaşıklarımızla tencereye dalardık. Mestan da sofrada yerini almaya kalkıştığında anam deminden beri topakları karıştırıp durduğu sopasını onun bitli başına indirirdi. Mestan, kendisini eşiğe dar atar, ayran çorbasının yağsız, yavan, biraz da tuzlu olduğunu, yalana yalana, miyavlayarak, anamın yüzüne çekinmeden söylerdi. Anam Mestan'ın bu sözlerine kulak asmaz, ancak ona yeri gelmişken evimizde bir de "çortan" karıştırmaya yarayan bir sopanın da varolduğunu öğrettiği için sevinir, bir yandan da söylenir dururdu:

"Mestan adam olmadi, olamayacağ! Kedi geldi, kedi gidecağ! Yazuğ oldi verdığım emeglere!"

Anam haklıydı. Kilisemizin papazı Der Arsen bile Mestan'ı haksız bulduğu için, evimize geldiği bayram ziyaretlerinde bu düşüncesini dile getirir, anamı teselli ederdi:

"Emeglerine yazuğ olmadi! Sen elinden geleni yaptın, oni doğri yola getirmağa çalıştın, ama o, ne yazuğ ki çığhmaz sukaklarda, 'küçe çığhmaz'larda dolandi, durdi. Rabbımız her gün ve her daim sızı, ikinizi de yuğharidan seyretti, kimın günağh, kimın sevab işlediğini güni günıne defterıne yazdi. 'Tadastan' güni, yane Rabbımızın hüzırında son ifadelerımızı verecağımız o hisab günınde, işallah özım de yanınızda olacağam ve nesib olursa, 'Rabbım, inan ol ki, Hanım kulın eyi bir insandi, özım de onın şahidiyam' diyecağam."

Der Arsen'in bol köpüklü kahvesini höpürdeterek söylediği laflara Mestan'ın karnı toktu. O herşeyin bu dünyada olup bittiğine inanıyor, öyle 'Tadastan' - madastan günlerine pek aklı yatmıyordu. O şu anda

18

papaz Der Arsen'i yolculadıktan sonra kilerdeki tel dolaptan aldığı bir parça eti elinde taşıyan Hanım Baco'nun peşine takılıyor, onu izliyordu.

Mestan o güne kadar Hanım Baco'nun bıçakla, satırla et doğradığını görmüştü ama, bu gün ilk kez, eti doğrayacağına, taş dibeğin içinde ha babam de babam tokmaklayıp durduğuna tanık oluyordu. Hanım Baco keçileri mi kaçırmıştı yoksa? Kahve neyse de, et hiç tokmaklanır mıydı? Hanım Baco bir taraftan 'hıng-hıng-hıng' deyip var gücüyle tokmağı indiriyor, diğer taraftan Mestan'ın da usul usul gelip tam karşısında yerini alışını tek gözüyle dikkatle izliyordu. Hanım Baco, eti evire çevire dövüyor, ezilen, yumuşayan etin içindeki beyaz sinir parçacıklarını özenle ayırıyor, hiçbir işe yaramadıkları için de Mestan'ın önüne atıyordu. Mestan önüne atılan sinirleri yemekten pek şikayetçi değildi ama, midesine pek birşeylerin gitmediğinin de farkındaydı. Açlıktan karnının guruldadığını duyuyordu. Bu uğultuları Hanım Baco'nun da duyduğundan emindi. Buna rağmen önüne iplik gibi incecik sinirleri atan, döve döve neredeyse helvaya dönüştürdüğü bu nefis etten zırnık dahi koklatmayan ve eti döverek aslında kendisine işkence yapan anama öfkeleniyor, içinden söyleniyordu:

"Ağh, ağhh, Hanım Baco, işşallah öbır gözın de kor ola ki, ben de eti elinden alım, kaçım! "

Aç gözlü Mestan bunu düşünürken, anam onun aklından geçenleri sanki okuyormuş gibi, Mestan'ın duasının tam tersine, tek gözünü daha da açarak, önündeki "ecin"'e, yani hamur gibi yoğrulmuş ete dikiyordu. Nankör Mestan "ecin"in Arapçada hamur anlamına geldiğini, Hanım Baco'nun akşam yoğrulacak olan "ecinküfte", yani çiğköfte için eti böylece tokmakladığını nereden bilsindi? Ama onun için önemli olan etin Arapçası, Türkçesi veya Ermenice deyimiyle "mis" olması değildi. Önemli olan ezile ezile, dövüle dövüle, yoğrula yoğrula bu hale gelen etin gerçekten de mis bir parça oluşuydu. Bu eti yemek için dünyadaki tüm günahları yüklenmeye, cenneti de, çok bilmiş papaz Der Arsen'e bırakmaya hazır ve nazırdı.

Anam Hıno, tokmaklaya tokmaklaya, döve döve etin tüm günahlarının çıktığına kanaat getirince Mestan'a ve ete çektirdiği eziyete son verdi. Taş dibekte "malez"e dönmüş eti toparladı, dibeğin içini birkaç kez sıyırdı, kokusu dahi kalmayacak kadar temizledi, kürsüden kalktı, sol elinde et topağı, sağ elinde tokmağı, kilere yöneldi. Mestan da taşan sabrıyla arkasından... Anamın eti kaptırmamak, Mestan'ın ise eti yürütmek için karşılıklı çabaları, Mestan'ın bir an ihtiyatı "mis"e doğru kaçırmasıyla, başına inen tokmak darbesiyle noktalandı. Mestan hiç beklemediği bu tokmak darbesiyle sendeledi. Tokmağın o güne kadar Hanım Baco'nun öğrettiği evdeki diğer aletlerden çok farklı, çok daha acımasız olduğunu anladı. Birazcık toparlanıp, ikinci bir darbeden kurtulmak için miyavlayarak, kendi dilinde bir de küfrederek nar ağacının yaprakları arasında gizlenmeye çalıştı. Akşam güneşi avlumuzu terkedince, anam Hıno yoğrulacak çiğköftenin bulgurunu ayıklarken, Mestan, "ecinküfte"den kendisine pay çıkarılmayacağını, kendi payına düşenin sadece başına inen tokmak ve de etin sinen kokusu olduğunu anladı. Tasını tarağını topladı, tüm günahlarını yüklendi, hocası ve öğretmeni Hanım Baco'ya ve boklu oğlu ikinci kuyruğuna veda ederek akşam karanlığında Gâvur Mahallesi'nin dar "küçe"lerinde kayboldu.

"ÇOCIĞIN ADİ NE OLACAĞ?"

Babam Sıke, "Allah'ın emri, İsa'nın kavlidır. Onların emirleri karşısında boynımız kıldan incedır. Zatani elımızden başka ne gelır?" deyip, anam Hıno ile evlenince, Margos sülalesinin en yeni meyvesi olarak bir kız çocuğu dünyaya göz kırpar. Bizim oralarda kız çocuğu doğurmak, bir kadın için utanç kaynağı değilse bile, gurur vesilesi hiç değildir. Kız doğurmak hiçbir zaman önemli bir olay olmadığı gibi, marifet de sayılmaz. Diyarbakır gibi bir yerde veya o yörelerde, dünyaya kız getirmektense hiç doğurmamak, böylesine yüz kızartıcı bir işe hiç bulaşmamak daha uygun ve dahi, tövbe tövbe, Tanrı katında bile sevaptır... Aslolan, doğru olan, en iyisi erkek, hele hele sıhhatli bir erkek doğurmaktır.

Yeni doğmuş kız utanç kaynağı olmaktan öte, üstüne üstlük bir de sağlıklı değilse, hele hele saçlarını bu yolda ağartmış kocakarılar da, yılların içinden süzülerek gelen sınama yanılma yöntemleriyle, onun uzun boylu yaşayamayacağını, akşamdan sabaha öte tarafın yolcusu olacağını söylemişse, yapılacak ilk iş, hemen, tez elden, çarçabuk, aceleyle ve de hiç oyalanıp zaman yitirmeden, Diyarbakır Ermenilerinin yegane papazı Der Arsen'e haber ulaştırmaktır.

Der Arsen haberi alır almaz Tanrı'nın kendisine verdiği yetkiye dayanarak, görevi gereği, gümüş haçını, kırmızı deri kaplı minik İncil'ini, her yedi yılda bir dünyanın dört bir yanından patriklerin, episkoposların, rahiplerin toplanarak Ermenistan'da en büyük dini lider olan Gatoğigos'un huzurunda, tarihi kazanların içinde, kırk çeşit çiçeğin ve zeytinyağının dualar eşliğinde kaynatılmasıyla hazırladıkları kutsal yağdan birkaç damla içeren güvercin şeklindeki antika gümüş kupasını ve bir tutam günlüğü kaptığı gibi hasta çocuğun başına dikilir.

Alelacele çağrılan vaftiz babasının önüne beyaz bir peşkir bağlanır. Bakır leğendeki ılık suya çıplak kız çocuğu, Der Arsen tarafından üç kez batırılıp çıkarılır. İsa Peygamber'in çarmıha gerilirken el ve ayaklarına çakılan çivilerin ve başına geçirilen dikenli tacın yara izlerine sürülüyormuşçasına, çocuk da, avuçlarına, ayaklarına, alnına sürülen yağla kutsanır. Töreni bozan ağlama ve viyaklamaları, papaz yamağı Estedur Dayı'nın ve Der Arsen'in tiz dualarıyla bastırılır. Kızın adının Araksi olduğu üç kez vurgulanarak resmen tescil edilir ve tören, günlük dumanlarının, mum islerinin küçük odadan ağır ağır göğe, Tanrı katına süzülmesiyle son bulur.

Ancak deneyimli kocakarıların teşhislerinin ne kadar yerinde ve doğru olduğu, bu konudaki yeteneklerinin neden küçümsenemeyeceği, hatta Gazi Caddesi'nin en göz alıcı binalarındaki tabelalarda adlarının yanında 'çocuk hastalıkları mütehassısı' veya 'çocuk hastalıkları ve sağlığı mütehassısı' ya da daha büyük, çarpıcı harflerle, kısaca 'çocuk doktoru' yazan diplomalılardan da geri kalır bir tarafları olmadıkları, Der Arsen'in alelacele yetişip Ermenice okuduğu 'Ey yüce İsa, bu küçük kızın aziz ve körpe ruhunu huzur içinde yaşat, günahlarını affeyle. Sen, ulu ve bağışlayıcısın...' duasıyla birlikte hemen oracıkta, hazin bir sonla kanıtlanırken, kız da son nefesini veriverir.

Bir yıl sonra anam Hıno yine hamile, yine yüklü, yine iki canlıdır. Bu kez bir erkek doğurur. Bu iyiye alamettir. Tanrı'nın da biz insanların acısını zaman zaman da olsa paylaştığının bariz işaretidir. Aynı zamanda Tanrı'nın işlerine burun sokulmaması gerektiğinin, O'nun istediği zaman, istediği gibi, kendi hür iradesiyle, insanlara can verdiği gibi, canını da alabileceğinin kesinkes bilinmesi için de bir uyarıdır. Velhasıl bilinmesi gereken şudur: Tanrı'nın işine akıl sır ermez!

Tanrı'nın ne zaman ne yapacağı hiç belli olmadığı için, çocuğu bir an önce vaftiz etmek gerekir, fazla oyalanmadan, fazla zaman yitirmeden... Madem Tanrı bu çocuğu Ermeni asıllı, Hıristiyan Sıke'nin, yine kendisi gibi Diyarbakır'ın Piran kazası kütüğüne kayıtlı, eski adıyla Heredan, şimdiki adıyla Kırkpınar köyünden Ermeni, Hıristiyan Hıno'nun evlatları olarak dünyaya gelmesini arzu etmiş, emretmiş ve de buyurmuş, o halde O'nun biricik evladı Hazreti İsa'nın İncil'de yazılı emirleri gereği bu çocuk vaftiz edilmelidir. Hem de çarçabuk, vakit kaybetmeden. Peki ama bu aceleye ne gerek var? Daha doğrusu gerek var mı? Üstelik tüm yaşlı kadınlar, özellikle de şu adıyla ünlü kocakarı, ebe Kure Mama da teşhisi şöyle yapmışken:

"Bu enük Allah'ın izniyle uzun ömürli olacağ! Bundan heç şüphem yoğhtır, çünki göbegını çoğh eyi kesmişem!"

O halde bu koşuşturmaya, bunca gürültü patırtıya, "teşkele"ye gerek var mı? Var, hem de bal gibi var! Var, çünkü Der Arsen, pazar ayinindeki vaazında, dini görevlerini yerine getirmek için birkaç günlüğüne yolculuğa çıkacağını, Malatya ve Elazığ'a uğrayacağını, bu kutsal görevi kendisine İstanbul'daki patrik hazretlerinin tevcih edip buyurduğunu, her yıl olduğu gibi, oralarda papazsız kalan Ermeni din kardeşlerinin acısını paylaşacağını, yeni doğmuş ve vaftizsiz çocukları topluca vaftiz edeceğini, hatta bu arada dini nikah kıyılmadan evlenmiş, dahası, çocuk sahibi bile olmuş karı kocaların dinimizce geçersiz sayılan bu evliliklerini geçerli kılmak için toplu nikahlar kıyacağını ve en önemlisi, öldükten sonra pir ihtiyarların yarım yamalak bildikleri dualarla öte tarafa gönderilen din kardeşlerimizin mezarları başında, gecikmiş de olsa dualar okuyacağını, nihayet oralardaki Ermeni cemaatine biraz günlük kokusu sunacağını, onları dualarıyla teselli edeceğini söylememiş miydi? Eh, Der Arsen'i bunca iş beklerken, ya bu çocuk da maazallah diğer çocuklar gibi, Diyarbakır yazının cehennemi sıcağına dayanamaz da aniden hastalanıp öte tarafı boylarsa, o zaman dini ayinsiz mi gömülecek? Hadi, papaz yamağı Estedur Dayı bu gömme işini yarım yamalak becerdi diyelim. İyi ama çocuğun alnına kutsal yağı kim sürecek?

Bizim oralarda vaftiz töreni evlerde yapılır. Öyle uzun boylu kiliseye filan gidilmez. "Teşt" dediğimiz bakır bir leğen, biraz ılık su, kirve ve papaz da hazırsa iş bitmiş, geriye çocuğa konacak ad kalmış demektir.

Çocuğun adı ne mi olacak? Tabii ki babam kendi babasının adını koyacak. Zaten başka bir şey nasıl düşünülür ki? Birinci Harb-i Umumi'de, o yıllarda henüz üç-dört yaşlarında iken, yüzünü hayal meyal bile hatırlayamadığı babasını, nerede, hangi sürgün kafilesinde, hangi şartlarda ve niçin kaybettiğini dahi bilmeden, hep bir baba özlemi ve hayali ile yaşamışken, yeni doğmuş ilk erkek evladına başka bir isim koyabilir mi? Böyle bir şey yapabilir mi? Bunu akıldan geçirmek bile ayıp ve günah değil mi!

Ve törenin en heyecanlı anı gelir çatar. Top sakallı Der Arsen beklenen soruyu yöneltir:

"Çocığın adi ne olacağ?"

Babam, isim konusunda evvelce anlaşmış olduğu kirveye bile fırsat bırakmadan atılır:

"Oğlımın adi, rehmetli babamın adidir.Oğlım, dedesının adıni alacağ: Mıgırdiç!"

Karacadağ'ın yüksek tepelerindeki karlar eriyip küçük birer ak lekeye dönüştüğünde, leylekler Diyarbakır surları üzerinde, Paşa Hamamı, Deve Hamamı, Çardaklı Hamamı kubbelerinde, Yıkık Minare üzerinde yuvalarını kurarken, çatal kuyruklu kırlangıçlar akşam saatlerinde damlarda kurulan "taht"lara pike yaptıklarında, Dicle Nehri azgın sularından arınıp cılız bir çay gibi aktığı günlerde, Diyarbakır'a yaz gelmiş demektir. Demek ki cehennemi başka bir yerde aramaya gerek yoktur. Sıcak yaz güneşinin şehre çöreklenip cehennem ateşine dönüşmesiyle, yeni doğmuş bebelerin yaşama şansı da neredeyse yok olur, sıfırlanır. Bu cehennemi yazlar, demirci ustası Sımpat'ın ünü tüm yöreye yayılmış keskin orakları gibi, gelip kundaktaki bebekleri birer birer biçer, süpürür, geçer gider. Kure Mama istediği kadar kıçını yerlere vursun, istediği kadar veletlerin göbeğini ustalıkla kestiğini söyleyip dursun, doğurttuklarından çoğu, yazın bu mahşeri sıcağına dayanamayıp ishal olur ve öte tarafa göçerler.

Altı aylık Mıgırdiç de tüm direnmelerine karşın, sonunda yaza yenik düşer ve nerede olduğu belli olmayan rahmetli büyük babasının ruhunu aramaya gider; onun, olmayan mezarının gölgesine sığınır. Ve Der Arsen yine ölülerin ruhları için ellerini gökyüzüne doğru kaldırır, Tanrı'dan rahmet dileyerek her zamanki ünlü duasını tekrarlar:

"Ey göklerdeki Babamız..."

Mıgırdiç, şu altı aylık küçük bebek, minik ruhunu Der Arsen'in küçük İncil'i, kutsal haçı, günlük dumanlarıyla karışık yüklenip Tanrı'nın huzuruna doğru yola çıkmak üzere Diyarbakır Ermeni Mezarlığı'na gömülünce, büyük anam, ikinci kez kocasını kaybetmiş gibi tuhaf bir duyguya kapılır. Babam, kendini bir kez daha yetim hisseder. Ya anam? O yine hamile, yine gebedir. Bu işte yılgınlık, yenilgi olur mu? Olmaz!

"Gözız aydin olsın! Bu sefer de oğlandır!"

Kure Mama, kapı komşular ve nenem hep birlikte, elbirliğiyle anamın bereketli rahminden zorla çekip çıkarttıkları "kara hübür" dutu karası esmer veledi sarıp sarmalarken, diğer taraftan bir grup kocakarı da, babamın dişçilik yaptığı dükkânın yolunu çoktan tutmuşlardır.

"Gözlerin aydin ola Sıke! Gözlerin aydin! Allah sahan bi oğlan verdi, kapkara bi oğlan."

Çocuğun erkek olmasının babama verdiği tarifsiz mutluluktan cesaret alan kadınlar, biraz emir, biraz telkin, biraz da nasihatle söylenirler:

"Oğlanın adını bu sefer de Mıgırdiç koymiyasan ha!"

Babamın 'neden, niçin' diye soran gözlerine gözlerini dikerek, onun konuşmasına fırsat vermeden, Eğso Baco, Topal Tüme, Pıruş Baco koro halinde, hep bir ağızdan seslenirler:

"Ölilerın adi, uğırsızlığ getiri!"

Babamın cevabı ise kesindir:

"Veğd olsun ki, yemın ederem ki, yedi tene oğlan daha doğsa, bılsem ki yedısı de ölecağ, gene de rehmetli babamın adıni koyacağam!" Bu cevabı hiç beklemedikleri için şaşırıp bocalayan yaşlı kadınlar, yine de babamı bu gâvur inadından caydırmak için dil döker, gözünü korkutmaya çalışırlar. Eninde sonunda bu tutumundan dolayı pişmanlık duyacağını, bu davranışıyla Tanrı'yı gücendirebileceğini, Tanrı'nın "ğezeb"inden hiç kimsenin kurtulamayacağını, bu kafayla devam ederse, zavallı karısı Hıno'nun gözyaşı döke döke "mehf u perişan" olacağını, hiç olmazsa bu kadıncağıza acımasını, bu çocuğun da iki gün geçmeden ölebileceğini, atalarımızın 'kendi düşen ağlamaz' veya "son poşmanlığ fayde etmez" sözlerinin kulaklarına küpe olmasını, "yanlış hisap Bağdat'tan döner"i bilmesi gerektiğini, artık kendisinin de koca adam olduğunu, çocuk gibi davranmaması gerektiğini, bütün bu lafları sadece kendisinin ve de çok sevdikleri karısı Hıno'nun hatırı için söylediklerini, buraya koşarak gelmelerinin sırf müjdelik almak için olmadığını, bu güzel haberi ulaştırırken, bir entarilik basma veya romatizmalarına iyi gelen uzun bir yün don parasını koparmak gibi bir hesabın içinde olmadıklarını, biraz da yaşlarına, başlarına ve tecrübelerine saygı duyulmasını, özellikle Topal Tüme'nin Hançepek'ten ta Belediye meydanındaki bu dükkâna kadar topal bacağına bakmadan koşa koşa gelmesine hürmeten bile olsa bu sevdadan vaz geçmesi gerektiğini de vurgulayarak çocuğa Mıgırdıç'ten başka herhangi bir ad konulmasının daha uygun olacağını, bunu yapmadığı takdirde bu zavallı, nur topu gibi bebeğin kesinlikle öleceğini ve o zaman da bunun hesabını ahrette kendisinin vermek zorunda kalacağını söylerler. Büyük bir sabırla yaşlı kadınları dinleyen babamın bu kez ağzından öfkeyle dökülen sözleri ve kesin cevabı şu olur:

"Ölırse ölsın! Günağhi da, vebali da benım boynıma!"

Bizim o yörelerde Kürtlerin kendi dillerinde şöyle bir deyişleri vardır:

"Gotiye ğhaç, nabe paç."

Bu deyim kişinin herhangi bir konudaki kesin kararlılığının ve inatçılığının özlü ifadesidir. Yani bir kere 'haç' demişse, artık sözünden dönüp "paç" demez. Yahut, bir kez 'haç' yani 'put' demiş, artık 'çaput' demez!

Evet babam Sarkis Margos, kısa adıyla Sıke, bir kere 'haç' demişse ve artık öldürsen de "paç" demiyecekse, yapılacak en doğru ve tek şey, Der Arsen'in haçını, mumunu, İncil'ini, günlüğünü ve kutsal yağını toparlayıp hiç zaman kaybetmeden, doğruca eve gelip çocuğu vaftiz ederek adını koymaktır.

İyi de, kısmete bakın ki, Der Arsen o günlerde görevi gereği senelik gezisine çıkıp Elazığ'a, Malatya'ya gitmiştir. Dönüşte de Derik kazasına uğrayacak, eski bir evi onararak kiliseye dönüştüren Derikli Ermenilerin kilisesini ibadete açacak, dini görevlerini yerine getirecek, oralarda birkaç gün oyalanıp ve cebine de üç beş kuruş zahire parası doldurup Diyarbakır'a öyle dönecektir.

Der Arsen'in bu görevlerini seve seve yapması, bu seyahatlere katlanması, bir misyoner gibi oradan oraya koşuşturması, Tanrı katında muhakkak ki onun hanesine yazılan artı puanlardır. Ama bu arada her şeyden habersiz, daha dünyaya gözlerini açtığı ilk gün, karlı kışın "boran"ında bu masum bebe zaten üşütmüş, Karacadağ'dan kopup gelen dondurucu rüzgârın 'vuv-vuv-vuv' müziğine 'inga-inga-inga'larla ritim tutturunca hapı yutmuştur. Şimdi ya Der Arsen'in dönüşüne yetişemeden bu bebe de öte tarafa, kendinden öncekilerin yanına gidecek olursa..? Kutsal yağdan nasipsiz, adı sanı belirsiz gitmek olur mu Tanrı katına? Olmaz!

Çaresiz, çarnaçar, koşa koşa, uçarcasına, tozu dumana katarak Ebune Hore'ye gitmek gerek. Ebune Hore, şu Dört Ayaklı Minare'nin hemen yanıbaşındaki Keldani Kilisesi'nin kır saçlı, bodur, göbekli rahibi. Dertlerini iki cümleyle dile getirirler:

"Ebune Hore, Ebune Hore, çocığımız ğhestelendi, sesi solığı doğri dürıst çığhmi, öldi ölecağ. Der Arsen de burda degıl. Ne olır, gel ihsan eyle, vaftiz et zavallıyı. Öte terefe meleklerin kanatlariyla uçsın!"

Şu Papaz Der Arsen'in yaptığına bakın! Derik'e gidecek zamanı mı buldu? Onun Ermenice dualarla, "aleluya, aleluya" deyip vaftiz etmesi gerekirken, şimdi durup dururken Ebune Hore Keldanice dua edecek ve de "aleluye, aleluya" yerine, "keddişe, keddişe" diyecek! Allah'tan tek teselli, onun da Hıristiyan olması! Öyle ya, Ebune Hore'nin sahnesinde de tıpkı Der Arsen'inki gibi, mum, günlük ve de

İsa'nın İncil'i var. Kutsal yağsız gömülmekten, isimsiz gömülmekten kat be kat iyidir!

Ebune Hore çaresizlik içinde kıvranan bu insanların yalvar yakarlarına olumlu yanıt vererek İncil'ini, haçını toparlayıp gelir, Keldanice dualarla vaftize başlar. Sıra çocuğa ad konulmasına gelince yüksek sesle sorar:

"Çocığın adi nedir?"

Kucağında havluya sarılı çıplak bebeği taşıyan vaftiz babasının, büyük anamın ve de babamın hep birlikte çocuğun adını söylemeye hazırlandıkları sırada, Ebune Hore kendi sorusuna kendince makul bir yanıt vererek devam eder:

"Bahan kalırsa adıni Burhan koyağh. Okıla getttığında zorlığ çekmez! Adıni doğri dürıst sölerler. Üstelik Ermeni oldığı da anlaşılmaz, o da rehet eder."

Babam, Ebune Hore'ye, bu din adamına karşı saygısızlık etmek istemez ama, iş gelip de çocuğun adını koymak gibi hayati bir konuya dayanınca, saygı maygı, hatır gönül gibi şeyler onun kitabında yazmaz. Ebune Hore'ye döner ve kararını bildirir:

"Muhterem Ebune Hore, oğlımın adi rehmetli babamın adi olacağ. Adi Mıgırdiç'tir."

Çocuk, Ebune Hore'nin elleriyle Mıgırdiç adıyla vaftiz edilirken babamın anası Saro nenem oğluna dönerek kulağına fısıldar:

"Eger oğlanın adıni Mıgırdiç koymiyaydın, sahan sürgınlerde verdığım sütimi helal etmezdım!"

Rahmetli dedemin adı ikinci kez bir torununa verilince, nenem kocasıyla sanki bir kez daha kucaklaşır. Babam ise, babasının adını, anısını bir kez daha yaşattığı için mutlu ve gururludur.

Mıgırdiç adlı bu velet, adının konduğu daha ilk günden, ne kadar inatçı gâvur bir babanın oğlu olduğunu anlar, yaşamaktan başka bir seçeneğinin olmadığını hisseder. O halde yapılacak en doğru hareket, ölümü unutup, meleklerin kollarında seyahate çıkmaktan vazgeçmek, yaşamak ve kendinden sonra gelecek kardeşlerine de iyi bir örnek olmaktır. Aksi takdirde anası Hıno'nun ister istemez, bıkıp usanmadan, her yıl yeniden gebe kalacağını, belki Paskalya yortusunda, belki 'üzüm bayramı'nda, belki de domateslerin ezilerek salça yapılmak üzere damlarda, sinilerle kızgın güneşe serileceği sıcak yaz günlerinden birinde, velhasıl eninde sonunda yeni Mıgırdiç'leri doğurmak için kolları sıvayacağını, zaten başka bir seçeneğinin de olmadığını, babası Sıke'nin bu işin peşini bırakmayacağını sezen Mıgırdiç, var gücüyle anasının memelerine saldırır, emer de emer. Çocuğun bu bitip tükenmeyen iştahını gören baba da hemen hiç geciktirmeden Tanrı ile pazarlığa oturur:

"Allahım, yeddi sene, tam yeddi sene, Hezreti İsa'nın doğdığı mubarek günde, bir koç kurban edecağam ve fekir fukaraya dağıtacağam. Yeter ki bu çocığ yaşasın. Sahan söz veriyem, Sıke sözi!"

Tanrı babamız hassas terazisinin bir kefesine bebeği, diğer kefesine de yedi koçu koyunca koçların bulunduğu kefenin hayli ağır bastığını hemen görür ve koçları almayı daha akla yakın, daha mantıklı, daha uygun bulur.

Yedinci senenin sonunda, İsa Peygamber'in doğum gününde, Sıke yedinci koçu da kurban edip sağ elinin baş parmağını oluk oluk akan kana bulayarak oğlunun alnına haç şeklinde sürerken, tam o anda, evet tam o anda Tanrı da sözünü yerine getirir. Gök gürültüleriyle boşalan yağmurla birlikte seslenir:

"Oçharnerti duvir, ar zavagti!"

Tanrı'nın bizim yöre Ermenicesiyle ilettiği bu buyruğunun Türkçesi şudur: 'Koyunlarını verdin, al çocuğunu!'

Bu Mıgırdiç adlı velet, yedi kurbanlık koça karşılık yaşama hakkını elde etmekle, aynı zamanda rahmetli dedesinin de adını ve anısını yaşatma olanağını elde eder.

Bu Mıgırdiç, benim!

Mıgırdiç'ten sonra babam Sıke ve anam Hıno, çocuklarının adıyla Ermeni tarihini yazmaya çalıştılar. Kızlara Ermeni kraliçelerinin, erkeklere de Ermeni krallarının adlarını koydular. Yedinci kardeşimize de yine bir kralın adını verdikten sonra, şöyle bir geriye dönüp baktıklarında, daha bu tarihin ancak yarısına yakın bir bölümüne ulaştıklarını gördüler. Tarih yazma işinin pek de kolay olmadığını, daha uzun zamana ihtiyaçları olduğunu anladılar. "Artuğ yeter, kafidir" deyip bu işe son verdiler.

"Tİ-Lİ-Lİ"

Karno'nun harap evinin ve virane bahçesinin hemen yanıbaşında Lüsye Baco'ların küçük kulübesi yer alırdı. Her zamanki gibi, o sabah da kapı komşuları Karno'nun boz eşeği anırınca, Lüsye Baco saatin altı olduğunu hemen anladı. Şimdi de sırada Karno'nun, göğüs tüyleri yer yer dökülmüş, küt gagalı, yaşlı çil horozunun olduğunu ve ötmekten çok, kör bir bıçakla boğazlanıyormuşcasına bağıracağını artık ezberlemişti. Çok geçmeden de, zangoç Uso'nun, halata, çan kulesini yere indirircesine asılarak "hade, yatağlarızdan kağhın; birez sora Der Arsen'le yardımçısı yemenci Şişko Agop, 'Ğherli Sebehler' düğesıne başliyacağ; di hade kağhın, kağhın, kağhın..." diyen çan sesleriyle ortalığı inleteceğini adı gibi biliyordu. Lüsye Baco'nun hiç tereddütsüz, kesinlikle bildiği bir başka gerçek te, sabahın bu mutat dua faslından sonra, güneşin ilk ışınlarının birazdan, kerpiç evinin damından taşarak minik taş avluya yerleşeceği ve ardından da cehennemi bir günün başlayacağıydı.

Kocası, daha güneş anasının karnından bile doğmadan, sabahın kör karanlığında, zamanla rengi solduğu için haki mi, yeşil mi, siyah mı, yoksa gri mi olduğu artık kesinlikle anlaşılmayan eskimiş şalvarını, idare lambasının loş ışığında ayaklarına geçirmiş, taş avludaki kuyudan çektiği bir kova suyla elini yüzünü yıkamış, avluyu sokak kapısına bağlayan "zabok"u, yani dar ve loş koridoru, her zamanki gibi tam onbir adımda geçmişti. Her adımda İsa'nın oniki havarilerinden birinin adını anmış, ancak son anda kalleşlik ederek İsa'yı ele veren muhbir havari Yuda'nın adını ıskalamıştı. Kapının ardındaki kocaman demir çengeli indirdikten sonra, yıllardır yağ yüzü görmemiş paslı menteşelerinin ağlamaklı sesiyle kapıyı aralamış, bu arada İsa Peygamber'in adını anarak üç kez haç çıkarmış, önce sağ ayağını atarak sokağa çıkmış, kapıyı çekerek kapatmıştı.

Lüsye Baco'nun kocası Amele Sarkis, kilisenin papazı Der Arsen ve yardımcısı Şişko Agop'la, önceden sözleşmişler gibi, her sabah marangoz Haço'ların evinin köşesinde karşılaşırlardı. Tam zamanında gerçekleştirilen bu buluşmaların mutluluğunu sessizce paylaşırlardı. Surp Giragos Kilisesi'nin oymalı ahşap kapısının önüne geldiklerinde papaz efendi cebinden koca, antika bir anahtar çıkarır, yıllar sonra yolunu şaşırıp da Diyarbakır'a petrol aramaya, Pirinçlik Üssü'nde çalışmaya gelen kimi Amerikalıların, İspayi Çarşısı'ndaki hurdacılardan, benzerlerini bir iki dolar karşılığı topladıkları, ünlü demirci ustası Mıteloğlu'nun elinden çıkma kilide sokar, önce 'şlink-şlink' sola çevirir, sonra anahtarı bir diş daha bastırıp bu kez sağa doğru iki 'şlink'le kapıyı açardı. Hep beraber kilisenin avlusuna girer, sonra taş yapılı, toprak damlı kilisenin cümle kapısına yönelirlerdi.

Amele Sarkis küf, rutubet ve günlük kokan, mum isinin zamanla iyiden iyiye kararttığı, her tarafı solmuş, yağlı boya İsa, Meryem Ana ve aziz tablolarıyla, haçlar, İncil'ler, şamdanlarla tıkış tıkış dolu olan kiliseye daha ilk adımını attığında gözü Son Yemek Tablosu'na takılırdı. Uzunca bir tahta masanın tam orta yerinde bir iskemleye oturmuş nur yüzlü Hazreti İsa, her iki yanında altışardan oniki havari... Hazreti İsa'nın önünde paylaşılmaya hazır bir somun ekmek... Tüm havarilerin gözü, kendilerine iyiliği, kardeşliği ve sevgiyi öğretip aşılayan Hazreti İsa'da... Lüsye Baco'nun kocası Amele Sarkis bu tabloya her bakışında bu havarilerle göz göze geliyor ve onlardan hangisinin İsa'ya ihanet ederek çarmıha gerilmesine neden olduğunu düşünüyor, ancak bir türlü karar veremiyordu. Anası Pıruş'un kendisini zamansız ve geç doğurduğuna içten içe kızıp sinirleniyor, doğumunun yüzyıllar önce, yani İsa Peygamber'in yaşadığı yıllara denk gelmemesinin acısını yüreğinde yaşıyordu. O'nu, o yüce peygamberi, şimdiki gibi böyle resimlerinden değil, canlı görecek, ellerine sarılıp doyasıya öpebilecekti. Sonra tüm bu düşüncelerini bir kenara atıp, "çiğ süt emen insanlar"ın bugüne dek işledikleri ve bundan böyle de işleyecekleri günahlardan kendi payına düşenler için ellerini açarak sessizce duaya duruyor, kendince "en bırıncı düğe", "en eyi düğe", "Rabbımızın en çoğh sevdığı düğe", "düğelerın şahi", "esas düğe" ve daha bir sürü sıfatlarla süslediği duasına başlıyordu:

"Ey göklerdeki babamız, ismın mubarek olsın! Melekûtun gelsın! Gökte oldığı kimi, yerde de senın iraden olsın! Günlığ ekmegımızı begün bızlere ihsan eyle. Bızi günehlerımızden azad eyle. Bızleri kötılığlardan kori; çünkim ilelebed güçli ve herşeye kadir olan Sensen..."

Amele Sarkis bir yanda çarmıha gerilmiş İsa Peygamber tablosu, bir yanda da aziz tasvirleri önünde mum yakan Der Arsen'in titrek parmakları arasında bakışlarıyla mekik dokurken, öteden, günlük dumanları saça saça kiliseyi turlayan papaz yamağı Şişko Agop tam hizasına gelip buhurdanlığı kendisine doğru sallıyor, o da hemen haç çıkarıp, ailesi için okuduğu ilk duayı 'amin'le noktalıyor ve tüm Ermeniler yararına ikinci duasına başlıyordu. Üçüncü duayı da bütün günahkar insanlara adıyor, Şişko Agop'u ve Der Arsen'i kendi görevleri ve Tanrı'yla başbaşa bırakıp, içi huzur dolu, iş bulmak için doğruca amele pazarına yöneliyordu.

Lüsye Baco'nun kızları yer yatağında birbirlerine sarılmış, birbirlerini sıkıca kucaklamış, kördüğüm olmuş, derin uykudaydılar. Karşılıklı duvarlara çakılı iki çengele gerilen ipteki bez salıncağında, evin bebeği Serop da mışıl mışıl uyuyordu. Lüsye Baco, gözleri yarım ya-malak açık, yatağında o günkü işlerini düşünüyor, sıraya koymaya ça-lışıyordu. Aslında o gün onun için sıradan bir gün değildi. Tam ak-sine, erkenden kalkıp hemen işe koyulması gereken, epeyce zahmetli ve yoğun geçecek bir gündü. Böyle tembelce uzanıp yatmanın zamanı değildi. Bir an önce yataktan fırlayıp işe başlamak için geç bile kal-mıştı. Gerçi bir gün önceden işlerini az da olsa yoluna koymuş, kız-larını tüm kapı komşularına, mahalleliye, yakın uzak bütün ak-rabalarına salıvermiş ve söyleyeceklerini tembihlemişti:

"Yarın küçük kardaşımız Serop'ın diş 'hedig'i var, bıze gelın Hatun Baco."

Küçük kızlar ev ev, kapı kapı, akraba akraba gezerek tüm "baco"ları, tüm Gâvur Mahallesi sakinlerini diş buğdayı törenine davet etmişlerdi. Analarının kendilerine söylediği gibi görevlerini ye-rine getirip eve dönmüş, sonucu bildirmişlerdi:

"Ana..! Süsli Baco 'derence'lerden düşmiş, ayaği yencınmış. Topal Enne'yi çağırmışlar, o da gelmiş, yumurtali, sabunli merhem yapmiş, ayağıni sarmiş. 'Eger ayağımın şişi yenerse, gelırem' dedi."

"Ana..! Sarik Baco'nın kapısını çaldığh çaldığh, kimse açmadi."

"Ana..! 'Emme'm sebeh erkenden yardıma gelecağ. Ele dedi..."

"Ana..! Lüslüs'i bi daha bızle gönderme. Yolda altına işedi."

Lüsye Baco hiç beklemediği halde Karno'nun viraneliğinden üçüncü bir anırma duyunca, bunun eşekçe de olsa kendisine yönelik bir uyarı olabileceğini ve yataktan çoktan fırlamış olması gerektiğini anladı. Öyle de yaptı. Daracık, küçük odanın kapısını açtı, avluya çıktı. Avlunun bir köşesinde her yıl biraz daha boylanıp büyüyen nar ağacına baktı. Yaprakları arasında cıvıldaşan serçeler ona değişik bir haz verdi. İçten içe sıcak bir duygu tüm vücudunu sardı. Apayrı bir heyecan yaşadı. Hatta bir an onlar gibi şakımak bile istedi. Mutlu ve sevinçliydi. Yüce Tanrı ona bu günleri de göstermiş, üç kızdan sonra nur topu gibi bir erkek evlat ihsan eylemişti. Serop'un doğduğu gün-den beri, içindeki bu mutluluk giderek bir kar topağı gibi bü-yüyüvermişti. Bugün bu mutluluğa yeni bir halka daha eklenecek, bir tanecik erkek kuzusu Serop'unun diş "hedig"i yapılacaktı. Serçeler de onun mutluluğunu paylaştıklarını, cıvıldayışlarıyla dile getiriyorlardı.

Kendisi de serçeler gibi uçabilse, şu nar ağacının yaprakları arasından sevincini tüm insanlara kuşlar gibi öterek haykırabilseydi keşke! Ama hayır! Tanrı, insanları insan, serçeleri de serçe yaratmıştı. İnsan serçe, serçe de insan olamazdı! O halde Tanrı'nın işlerine burnunu sokup O'nu kızdırmadan bu tür düşlerine son verip kendi işlerine koyulmalıydı.

Kuyudan su çekip yüzünü yıkadı. Saçlarını hafifçe ıslattı. Bozulmuş saç örgülerini tekrar elden geçirdi, tepesinde topladı. Odaya döndü. Çocuklar derin uykudaydı. Belki de rüya görüyorlardı. Saatler ilerliyor, vakit daralıyordu. Yatağı yorganı kaldırıp "yükeri"ye koymak için geç bile kalmıştı. Daha fazla oyalanmadan onları dürterek uyandırdı. Büyük kızı Aznif'e seslendi:

"Ezno, kız Ezno, dı hade, kağh! Kağh bağh, gün ağhşam oldi... Get, çarşidan bi kilo boncığ şeker al. Tez gelesen, ha!"

Ezno koşa koşa gidip döndüğü çarşıdan, çeşitli renklerde ve şekillerdeki minik şekerleri bir kese kâğıdı içinde getirmiş, anasına teslim etmişti. Lüsye Baco ise geceden suya koymuş olduğu için iyice yumuşamış olan buğdayı ve nohutu süzgeçten geçirmiş, "habeş"in üzerine yerleştirdiği büyük kazana, kaynamaya koymuştu bile. Eh, misafirler de Eğso Baco, Topal Tüme, Verto Baco, Güzel'lerin Meyro, Nalbant'ların gelini Parlak Hanım, Hacı Mama, Pıruş Baco, Sarik Baco ve diğerleri, yani eczacı kalfası Keldani asıllı Circis'in hanımı Erşelus Baco, yemeniciliğine sonradan lastik alım satımını da katınca 'lastikçi' olarak anılır olan Eğuş'un İstanbul'dan gelin geldiği için adı 'pudralı'ya çıkan karısı Janet Hanım, Bozanlar'ın Almast'ı, Der Arsen'in şişko, saygıdeğer eşi ve kızları, deli Nalbant Henuş'un karısı Toparlak Enne, ayrıca uzak komşulardan, yani Gâvur Mahallesi'nin sonunda, Gâvur Meydanı'nda, Yahudilerle neredeyse kapı komşuları olanlardan Sümüklü Rozin, Deli Maro, Ağgig Nıvo ve son zamanlarda Merheli Bahçesi'nin yan sokaklarındaki yeni evlerine taşınan, daha taşındıkları gün ünlü Siverekli Ermeni hırsız Hugas'ın gecenin bir vakti pencereden içeri girip bir sürü ipek peştemalla bir o kadar da "puşi"yi yüklenip tüydüğü ipek tüccarı Nışo'nun karısı Nurik Baco, İspirtocu Sarkis'in karısı dertli Saruş, onların hemen kapı komşusu Erus Baco, 'nur içinde yatsın', duvarcı ustası Tumas Dayı'nın karısı Estığik Baco ve görümcesi, yani Çulcu Dikran'ın karısı Bayzar Baco, Kuyumcu Haço'nun kızı Ani, papaz yamağı yemenici Şişko Agop'un karısı, bitkin yaşlı Potorik Baco ve nihayet Zeyno Bibi... Bu sonuncusu Lüsye Baco'nun en yakın akrabasıydı. Birinci Dünya Savaşı günlerinde Diyarbakır'ın Ergani kazasından Saro adlı genç bir kız olarak "Kafle"ye çıkmış ve yıllar sonra tesadüfen yeniden bulduğu akrabalarının karşısına bu kez uzun sakallı Şeyh Şeyhmus'un karısı Zeyno olarak çıkmıştı. Şeyh Şeyhmus'un ilk karısından olan üç erkek çocuğu, Hamo, Berdal ve Abdo, anaları daha onlar çocukken öldükleri için Zeyno Bibi'nin ellerinde büyürler. Zeyno da Şeyh Şeyhmus'dan çocuğu olmadığı için, onlara analık eder, büyütür. Çocuklar Zeyno'yu kendi öz anaları bilirler. Zeyno Bibi senede birkaç kez, yılbaşında, Paskalya'da gelir, akrabalarının bayramını kutlardı. Evin çocukları neredeyse gün boyu süren bu ziyaret sırasında, her ezan okunduğunda eyvana geçip sessiz sedasız namazını kılan bu garip akrabalarına huşuyla yaklaşır, ona Der Arsen'in gördüğüne eşdeğer bir hürmet gösterirlerdi.

Öğleye doğru "baco"lar sırayla gelmeye başlamışlardı. "Kara hübür" denen ve yenmesine doyum olmayan iri, mayhoş meyveleri insanın elini, dudağını çıkmayan mürekkep gibi mora boyayan, iri yapraklı dut ağacının koyu gölgesinde yerlerini alıyorlardı. Avluyu kaplayan bazalt taşlara serili hasırların, kilimlerin üzerine bağdaş kurup oturuyorlardı. Tam orta yere beyaz bir çarşaf serilmiş, tüm akraba ve komşu çocukları, etrafında bir halka oluşturmuştu. Çarşafın tam ortasına evin bebeği Serop oturtulmuştu. Her şey hazır ve nazırdı. Artık kutsal ayine geçilmeliydi. Zaten çocukların da beklemekten sabırları taşmak üzereydi. Küçükler sıkıntıdan ağlaşıp mırıldanmaya başlamışlardı bile. Büyüklerin işi neden bu kadar ağırdan aldıklarını bir türlü anlayamıyorlardı. Nihayet Lüsye Baco, Topal Tüme ve Eğso Baco hep birlikte, zorlana zorlana koca kazanı "habeş"ten indirdiler. Nohut ve buğday taneleri, kaynar suda iyice haşlanmış, Halil İbrahim'in tüm bereketini yüklenerek şişmiş, yenecek kıvama gelmişti. "Baco"lar haşlanmış buğdayı yine elbirliğiyle, tepsi gibi yayvan bir bakır süzgeçten süzdüler. Sıcak su arkasında bir buhar bulutu bırakarak, avludaki arktan akıp gitti. Geride kalan, yer yer kalayı gitmiş dövme bakır kazan ve içindeki sarı sarı tanelerdi. "Baco"lar herkesin dikkatle kendilerini seyrettiğini bildikleri için, işlerini büyük bir titizlikle sürdürüyorlardı. Şimdi de altın sarısı taneleri, Amele Sarkis'in kayınbiraderi kazancı Sago'nun yaptığı ve düğün armağanı olarak verdiği küçük bakır leğene doldurdular. Bu leğenin bizim "baco"ların dilindeki adı "tsek legen"di, yani yavru leğen... "Tsek legen"deki buğday ve nohutlara bu kez Ezno'nun çarşıdan alıp getirdiği boncuk şekerleri katarak tahta bir kaşıkla güzelce bir karıştırdılar. Karışımı daha küçük bakır taslara, kaplara, "uskura"lara doldurup misafirlere sunmaya hazırladılar.

Tören tüm "baco"ların hep bir ağızdan, yüksek sesle, sevinç ve gülüşerek bağırdıkları "ti-li-li, ti-li-liii" sesleriyle neşe içinde başladı. "Ti-li-li, ti-li-liii" bizim yörelerde Ermeni'nin, Kürt'ün, Türk'ün, Süryani'nin, Keldani'nin, hasılı tüm toplumun sevinç çığlığıdır. Düğünlerde, "toy"larda, nişanlarda, sünnetlerde çağrılıp söylenir. "Ti-li-li"siz sevinç olmaz!

"Ti-li-li" sesleri ve sevinç gözyaşları içinde, başta Zeyno Bibi olmak üzere tüm "baco"lar birer avuç şekerli buğdayı, yerde beyaz çarşafın ortasında şaşkın şaşkın oturan Serop'un başından aşağı boca ettiler. Saatlerden beri sabırsızlıkla bu anı bekleyen çocuklar, bu nefis yiyecekten daha fazla kapmak için, çarşafın üzerinde kıran kırana bir mücadeleye giriştiler. Avuçladıkları şekerli buğdayları ağızlarının suyu aka aka yemeye başladılar. Onların bu neşeli telaşlarına zaman zaman "baco"ların "ti-li-li" sesleri gelip karışıyor, köhne kulübenin kerpiç duvarlarında yankılanıyordu. Buğday tanelerinden birkaçı, şaşkın, ürkek ve neredeyse ağladı ağlayacak, habire sümüğünü çekip duran Serop'un siyah kıvırcık saçlarına takılıp kalmıştı. Tüm "baco"ların oybirliğiyle, hemen oradaki çocukların içinden, dişleri en beyaz, en küçük ve en düzgün olanı seçildi. Manuş adında inci dişli bir kız çocuğuydu. Manuş, "baco"lardan aldığı talimatı yerine getirmek için dizleri üzerinde yürüyerek ağır ağır Serop'a yaklaştı ve saçlarında kalan buğday tanelerini dişleriyle tek tek aldı. Böylece Serop'un, güldüğünde zar zor seçilen iki dişinin yanlarına ilerde çıkıp dizilecek olan dişlerin, Manuş'unkiler gibi olacağı artık kesinlik kazanmış oluyordu! Manuş'un, dişleriyle aldığı buğday taneleri, "baco"lardan birinin el çabukluğuyla iğneyle ipliğe diziliverdi ve

Serop'un boynuna kolye olup asıldı. Bu da çocuğun dişlerinin ilerde inci gibi düzgün olacağının ikinci kanıtıydı...

Şimdi sıra minik Serop'un kaderini belirlemeye gelmişti. Sıcak yaz gününün rehavetiyle uyudu uyuyacak, şaşkın, ürkek, ağlamaklı, Serop'un rengarenk bir hububat sergisini andıran bu tören sahnesine, elini uzattığında kolayca alabileceği bir sürü eşya koydular: Kalem, İncil, şimşir tarak, arkası horoz resimli, yuvarlak teneke çerçeve içinde çatlak bir cep aynası, Der Arsen'in saygıdeğer şişko karısının iyice sabunladıktan sonra tombul bileklerinden güçlükle çıkarabildiği bir çift altın bilezik, Çulcu Vanes'in kızı Maro'nun parmağından çıkarıp koyduğu bilmece yüzüğü, Amele Sarkis'in günün birinde ustalığa terfi ederse elinin altında olmasını istediği ve ilk yevmiyesiyle satın alıp evin kilerinde sakladığı ve artık paslanmaya yüz tutmuş duvarcı şakülü, ağaç testeresi, nal, kör bir makas, bir soba maşası, eşeklere, atlara, katırlara semer dikmek için kullanılan, çulcuların vazgeçilmez aleti kocaman bir çuvaldız, bir demirci çekici, ustura, dişçi kelpeteni...

Serop'un önüne, ardına, tüm çevresine büyük bir özenle yerleştirilen bu nesneler, onun için hiçbir şey ifade etmiyordu. Onlarla hiç ilgilenmiyordu. Oysa tüm "baco"lar gözlerini dikmiş, büyük bir merak ve heyecanla onu izliyorlardı. Serop'un elini uzatıp ilk neyi alacağını ve dolayısiyle ilerde seçeceği mesleği belirlemesini bekliyorlardı. Beklenen an gelip çattı. Serop önüne koyulan, yanıbaşında duran ve biraz da parlak olduğu için daha çok dikkatini çeken altın bileziklerden birini aldı, elinde bir an evirip çevirdi, büyük bir iştahla yemek ister gibi ağzına götürdü, iki minik dişiyle ısırmaya çalıştı.

Serop'un büyük bir iştahla bileziği yemeye çalıştığı an, Lüsye Baco sevincinden havalara uçuyor, neredeyse gökyüzündeki meleklerle kucaklaşıyordu. Tüm "baco"lar, başta Der Arsen'in saygıdeğer eşi ve diğerleri onun bu sevincine tüm yürekleriyle katılıyor, sevinç gözyaşları içinde köhne kulübenin avlusunu "ti-li-li" sesleriyle çınlatıyorlardı. Lüsye Baco avlunun ortasında kelebekler gibi kanat çırpıyor, bülbüller gibi şakıyordu:

"Efferım benım paşşa oğlıma! Benım akıllı oğlım böyüyecağ, böyük adam olacağ, anasını altunlar içinde yüzdırecağ..."

Güneşin kızgın sıcaklığı, yavaş yavaş yerini hafif bir ikindi rüzgarına bırakırken, gün boyunca sıcaktan bunalan dut ve nar ağacının yaprakları da, sanki avluyu dolduran bu sevinç yumağına katılıyor, rüzgarın serinliğinde kıpır kıpır dansediyorlardı.

"Baco"lar dönüş yolundaydılar. Hep bir ağızdan konuşuyor gibi, aynı duayı tekrarlıyorlardı:

"Rabbımızın ve Krisdos'un sağ eli Serop'ın üstünden heç eksik olmasın! Ğherli bi evlad olsın, amin."

Günün yoğun gürültüsü ve ortalığı çınlatan "ti-li-li" seslerinden geriye şimdi koyu bir sessizlik kalmıştı. Lüsye Baco sabırsızlıkla Karno'nun harabe bahçesinden, eşeğin bu sessizliği bozmasını bekliyordu. Tecrübeleri onu bugüne dek hiç yanıltmamıştı. Bu saatlerde eşeğin anırmasıyla kocasının aynı anda kapıda belireceğini biliyordu. O da hemen koşup onun elindeki karpuzu veya kavunu alacak, büyük müjdeyi gururla verecekti:

"Sırko, Sırko, gözın aydin, gözlerin aydin, oğlin begün meslegini seçti. Böyüyünce, hama götir, kuyumçiya 'şagırt' ver!"

Çok geçmeden Karno'nun boz eşeğinin anırıp akşamı müjdeleyen yanık sesi ile sokak kapısının "şakşako"sundan gelen tokmak sesleri birbirine karışıyordu.

ALO... SANTRO!

Evimiz, daha doğrusu benim doğduğum ev kendimize ait değildi. Zaten kendi evimiz hiçbir zaman olmadı. Kiracıydık. Ben Hacı Mama'nın evinde doğdum. Hacı Mama ve kocası Ağacan Dayı evin sahibiydiler.

Ağacan Dayı uzun boylu bir adamdı. Duvarcı ustasıydı. Omzunda hep kocaman bir mendil, bir "marhama" taşırdı. "Marhama"nın bir ucu da hep ağzındaydı. Çiğner dururdu. Biz çocukların bulunca ağzımızdan hiç çıkarmadığımız, çiğnemekten bıkmadığımız Çermik sakızları gibi o da mendilinin bir köşesini ağzından eksik etmiyordu.

Ağacan Dayı güleç bir adamdı. Çocuklarla şakalaşır, "hanek" eder, yanaklarımızı, saçlarımızı okşar, öper, sonra tutar birimizi omzuna alır, avlunun ortasında gezdirirdi. Yorulduğunda yere indirir, mendiliyle terini silerdi. Çalışkan, boş durmayı bilmeyen bir adamdı. İşinin olmadığı, işe gitmediği zamanlarda, evde yapacak bir iş, uğraşacak birşeyler muhakkak bulurdu. Kerpiç evin sıvası dökük duvarlarını çamurla sıvar, küçük pencerelerimizin eskiyen demir "cağ"larını, tahta parmaklıklarını onarır, yeniler, boyardı. Büyücek taş avlumuzun bir kenarında yükselen, "kara hübür" dediğimiz mayhoş meyveleri insanın dudaklarını, ellerini mora boyayan dut ağacına tırmanır, elindeki testereyle ağacın uzamış dallarını 'hız-hız-hız' sesleriyle keser, oradan, ilerlemiş yaşına rağmen, bir maymun çevikliğiyle hemen yanıbaşındaki nar ağacının dallarına atlar, kurumuş dallarını keserek avluya atardı. Ağaçların tepesinde işini bitirince aşağı iner, yerdeki kuru dalları toparlar, avlunun ucundaki geniş mutfağa götürür, bir kenara üst üste yığar, sonra da karısına seslenirdi:

"Heci, bahan savuğ bi ayran yap!"

Hacı Mama, avlunun bir köşesinde bağdaş kurmuş, yuvarlak bakır sinisini dizlerine yerleştirmiş buğday ayıklarken, veya tombul bacaklarından destek alarak usta elleriyle "teşi" çevirip yün eğirirken, Ağacan Dayı'nın sesine kulak verir, içinden kendi kendine "töbe, töbe..." der, işini yarım bırakır, kendince zamansız ve gereksiz bu isteği yerine getirmek için istemeyerek yerinden kalkar, oflaya poflaya kilere yönelir, büyük bakır "uskura"yı alır, doğruca mutfakta asılı duran yoğurt torbasının başında dikilirdi. Torbadan süzülerek 'tıp-tıp-tıp' yeri döven su damlacıkları ile Ağacan Dayı'nın alnından, şakaklarından kayarak uzun çenesinde toplanan terler yere doğru 'şıp-şıp-şıp' yarışırken, Hacı Mama yoğurt tarbasını aşağı indirir, bağını çözer, iki kaşık süzme yoğurdu "uskura"ya koyduktan sonra ağzını tekrar bağlar, suçlu yoğurt torbasını gerisin geri, darağacından asar, "uskura" elinde, avlunun ortasındaki su kuyusuna yönelirdi. Çocuklar düşmesin diye yine Ağacan Dayı'nın yaptığı tahta kapağı iter, yanıbaşındaki kovayı derin kuyuya sarkıtır, kovanın ipini bir iki kez sallar, suyla dolup ağırlaşan kovayı yukarı çekerken zorlanır, ıhlayıp pıhlar, dilinin altından bir şeyler mırıldanıp dururdu. Sonra "uskura"nın içine biraz su doldurur, tahta bir kaşıkla 'gart-gart-gart' karıştırır, ayran hazırlardı. Köpükler "uskura"nın kenarından taşmak üzereyken,

Ağacan Dayı'nın da beklemekten sabrı taştı taşacakken, sinirleri de tepesine tam gelip oturmak üzereyken, ayran hazırlanmış olurdu. Hacı Mama ayran dolu "uskura"yı dört gözle bekleyen Ağacan Dayı'ya uzatır, o da "uskura"yı kaptığı gibi büyük bir iştahla 'lık-lık-lık' içer, sonra derin bir soluk alır, yine içmeye devam ederdi. Ayranın yarısını Ağacan Dayı, yarısını da uzun bıyıkları, boynu ve işliği içerdi. Yine derin bir nefes alır, "oğh-oğh-oğh" der, ayranı son yudumuna kadar içtikten sonra boş "uskura"yı Hacı Mama'ya uzatırdı. Daha sonra "marhama"sıyla ağzını, bıyıklarını siler, bıyığını burar, güneşin yakıcı sıcağında alnında biriken terleri kurulardı. Sonra keserini alır, avlunun bir kenarında veya ağaçların gölgesinde eline geçirdiği bir tahta parçasını 'kırt-kırt-kırt' yontmaya başlardı. Ne yapardı? Niyeti neydi? Bunu ne Hacı Mama bilirdi, ne de Ağacan Dayı. Çünkü henüz ne yapacağına kendisi de karar vermiş olmazdı. O işe başlar, esini sonradan gelirdi.

Ağacan Dayı boş durmamak için de çalışırdı. Onun için önemli olan da buydu. Boş durmak, boş oturmak, tembellik, miskinlik onun defterinde yazmazdı. Hele hele erkek olup da bir iş yapmadan durmak onun için ayıpların en büyüğüydü.

Biz çocuklar Ağacan Dayı'nın etrafında toplanır, onun başına üşüşür, bu ihtiyarı ve onun çiğneyip durduğu "marhama"sını büyük bir hayranlıkla, zevkle seyrederdik.

Ağacan Dayı elindeki ağaç parçasını yontar, keser, sonra kocaman elini açar, Ermenice "meg, erguk, irek" diyerek 'bir, iki, üç' sayar, üç karış ölçerdi. Ölçtüğü yeri işaretlemek için kulağının arkasından ucu körleşmiş sabit kalemini alır, kalemin ucunu dudaklarına götürür, tükürüğüyle ıslatır, sonra da işaretini koyardı. Sabit kalem dudaklarında iz bırakırdı ama, o bunu hiç önemsemezdi. Kalemi tekrar kulağının arkasına yerleştirir, işaretlediği yerden bu kez testereyle tahtayı keserdi. Sonra tekrar keserle yontar, "marhama"yla terini kurulardı. "Marhama"sının köşesini çiğneyişi hızlanıp dudaklarının kenarından daha fazla salya akmaya başladıkça, bizler Ağacan Dayı'nın artık ne yapmaya karar verdiğini anlardık. O kararını verirdi ama, biz onun neye karar verdiğini bilmediğimizden daha fazla sabredemez, merakla sorardık:

"Ağacan Dayi, ne yapisan?"

Sorumuza sadece gülerek, "heh-heh-heh" diye yanıt verirken biz onun ağzındaki çürümüş, artık tek tük kalan dişlerini görürdük.

Dayanamaz, meraktan çatlar, bu kez aynı şeyi, belki cevap alırız diye bir de ana dilimizle sorardık:

"Ağacan Dayi, inç gı şinis?"

Ermenice sorumuzu da cevapsız bırakırken yine güler, saçlarımızı, yanaklarımızı okşardı. Ağzındaki mendili daha bir hızla çiğnerken biz onun artık kesin karar verdiğini düşünürdük ama, o işi sonuna vardırmadan yanıt vermemeye hep özen gösterirdi. Belki de bizim meraklı bakışlarımızdan haz duyuyor, ya da böylece onu daha dikkatle izlememizi sağlıyordu. Yontup durduğu tahta parçası artık yavaş yavaş şekil almaya başladığında, biz de elindeki tahtanın nihayet bir su arkına, bir dam "çırton"una dönüştüğünü anladığımızda sorumuzun cevabını alırdık:

"Bağhın, bu su arkidır, bu da 'çırton'. Ne diyisiz, güzel oldi?"

Biz de tüm çocuklar, koro halinde onaylardık:

"He, Ağacan Dayi he, güzel bi 'çırton' yaptın."

O, elindeki keseri yere bırakır, ayağa kalkar, üstüne başına, şalvarına dökülmüş yongaları, talaşları 'pat-pat-pat' temizler, terini siler, dama çıkar, eski "çırton"u yerinden söker, yenisini koyardı. Sonra çamur karar, "çırton"un sağını solunu çamurla sıvar, yemenileriyle çamura basarak sıkıştırır, "çırton"u sağlamlaştırır, memnun, mutlu, gururlu, damdan aşağı inerek avlunun ortasına gelir, "çırton"u bir de aşağıdan seyrederdi. Kusursuz olduğuna karar vermeden önce, denemek için kuyudan bir kova su çeker, kovayı alır dama çıkar, suyu "çırton"dan aşağı boca ederdi. Su avlunun ortasına 'şar-şar-şar' aktığında bizler de yazın sıcağında akan "çırton" suyunun altına girip oyunla karışık serinlemek istediğimizde, damdan bizleri ve "çırton"u seyrederken, yine çürük dişlerini göstererek "heh-heh-heh" gülerdi. "Çırton"un kusursuz olduğuna, iyi bir iş yaptığına karar verince kovayı alıp damdan iner, avlunun ortasında uzun boyuyla dikilir, savaş kazanmış komutan edasıyla, yüksek sesle seslenirdi:

"Heciii, bahan bi bekmez şerbeti yap!"

Hacı Mama çamaşır leğeninin başından kalkar, kilere gidip pekmez küpünden tasa iki kaşık pekmez doldurur, üstüne su ilave eder, karıştırır, şerbeti hazırlar, damdaki eserini hayranlıkla seyreden Ağacan Dayı'nın eline tutuştururdu.

"Al! İç!"

Ağacan Dayı, bir gözü Hacı Mama'nın uzattığı tasta, öbür gözü "çırton"da, şerbetini içerken, mahzun mahzun yutkunduğumuzu fark edince, tasın dibinde biraz arttırır, bizlere uzatırdı:

"Alın! İçin!"

Bu anı hep beklediğimizden hemen tası kapar, içip elden ele geçirir, bir taraftan da onu taklit ederek "oğh-oğh-oğh" derdik. Biz pekmez şerbetini yudumlarken o şerbetli bıyıklarını siler, uçlarını kıvırırdı. O zaman bıyıklarının daha da parladığını görürdük. Biz çocuklar, onun uzun, parlak bıyıklarına bayılırdık. O da bizim bu duygularımızı herhalde anlar, hissederdi. Bizlere dönerek saçlarımızı ve gönlümüzü okşardı:

"Gün ola sız de büyürsez, sızın de bele biyığız olacağ."

O günlerin özlemi içimizde, hep beraber "heh-heh-heh" gülerdik. Bizler Ağacan Dayı'nın evindeki kiracıların çocuklarıydık. Evimiz, yani Ağacan Dayı'nın evi büyük ve genişti. Ortada da taş avlusu vardı. Sokak kapısında asılı duran, tunçtan yapılmış tokmağı, yani "şakşako"yu 'şak-şak-şak' diye var gücünüzle indirip kapıyı çaldığınızda, bu sesi duyan çocuk, yaşlı, kadın, erkek, kapıya yakın her kim varsa avluda, gelip kapıyı açardı. İçeri girer girmez, hemen sağda, Diyarbakır'ın gözenekli bazalt taşlarından yapılmış yedi basamaklı bir merdiven vardı. İlk basamağa oturmuş, kendilerince oyun oynayan donsuz çocukları tavuklar gibi "kışt-kışt-kışt" kovalayıp, kendinize yol açarak basamakları 'bir, iki, üç, dört' diye sayarak çıktığınızda, yedinci basamağın sonunda karşınıza daracık bir eyvan ve ona açılan bir oda çıkardı. Bu odada Ağacan Dayı, Hacı Mama, oğulları Yaşar, kızları Verjin abla, kocası kuyumcu Haço ve onların da iki çocuğu, oğulları Dikran ve kızları Ani yaşarlardı. Hepsi bu odada yer, içer, yatarlardı. Hacı Mama avlunun ortasında oğlu Yaşar'ı kucağına oturtup, yanaklarından öperek her defasında "cigerim, cigerim" diyerek sevdiği için oğlunun adı Ciger Yaşar olarak tescil edilmişti. Kuyumcu Haço da, nedeni ve niçini henüz çözülmemiş, çözülememiş, devlet sırrı gibi saklı tutulan bir kavgada, Buğday Pazarı'ndaki Kürt hamalların tekmeleri sonucunda ayağı sakat kaldığı için adı hemen değişmiş, daha doğrusu bastonla, "çögen" yardımıyla yürümeye başladığından, hemen uygun bir sıfat eklenerek, adı Topal Haço'ya dönüştürülmüştü.

Ağacan Dayı'ların odasının veya Hacı Mama'nın deyimiyle 'çardağ'ın altında hepimize ait, hepimizin kullandığı büyük bir mutfak vardı. Bu mutfakta bizler yemek pişirir, çamaşır yıkar, kazanlarla su ısıtarak yıkanırdık. Mutfağın bir kenarında kapısı olmayan bir de "avğhana", yani abdesthane bulunurdu. Kapısı olmadığı veya Ağacan Dayı bir fırsatını bulup buraya bir kapı yapmak için henüz işe sıvanamadığı için, bu tuvaleti genelde yaşları bir, hadi bilemediniz iki elin parmaklarıyla sayılacak kadar küçük olan biz çocuklar kullanırdık. "Avğhana"nın kapısız olması, bizim gibi akşama kadar avluda dal taşak dolaşan çocuklar için zaten önemli olmadığı gibi, sorun hiç değildi. Bu tuvaleti günün her saatinde bizler dolduruyor, tapulu malımız gibi kullanıyorduk. Adı da zaten "uşağların avğhanasi"ydı. Biz uşağlar, "avğhana"nın yan yana uzatılmış iki siyah taşı üzerine tavuklar gibi tüner, içine düşmemek için bacaklarımızı iyice açar, işimizi görürdük. "Avğhana"ya düşmemek için de her defasında analarımızın bizim yöre Ermenicesiyle sıkça söyledikleri sözleri anımsardık:

"Civıt ağgik pats. Meçı çignes."

Biz de analarımızın sözünü dinler, 'bacaklarını iyi aç, içine düşmeyesin' komutuna uyar, bacaklarımızı iyice aralardık. Sokak kapısının hemen ardında, eyvanın altında ise "böyüklerin avğhanasi" vardı. Zaten bizim Diyarbakır'da nedense tuvaletler sokak kapısının hemen arkasındaydı. Onun için de yöremizde tuvaletin diğer bir adı "kapi arğhasi"ydı. Çarşıdan, pazardan, "küçe"den gelenlerin ilk uğrak yerleri olduğundan mıydı? Sıkışanların kapıdan girer girmez uçkurlarını çözerek, donlarını indirerek hemen işlerini görmesini kolaylaştırdığı için miydi? Yoksa atalarımızın kendilerince, yetenekleriyle geliştirdikleri özgün bir mimari tarz mıydı? Kim bilir, belki de, şehrin kurulduğu günden beri el değmemiş, dolayısıyla zırtpırt tıkanan eski, daracık tarihi kanalizasyonu kolay açmak için düşünülmüştü.

"Böyüklerin avğhanasi"nın bizimkinden farkı, alttan ve üstten bir karış açık olan tahta kapısının ve kapının içerden kapanmasına yarayan, demirden kocaman bir de çengelinin oluşuydu. Bizim oralarda evlerimizde, tuvaletlerde, elimizin altında, elimizi attığımızda hemen açarak 'şar-şar-şar' akıtacağımız musluklarımızın olduğunu sananlar, kesinlikle aklını peynir ekmekle yemiş olanlardandır! 'Şar-şar-şar' akan çeşmeler ancak sokaklarımızın bazılarında, köşebaşlarında bulunurdu. Zaten bizim "kastal" dediğimiz bu çeşmelerin musluğu da yoktu. Sular öylesine, hem de mis gibi Hamravat suyu öylesine boşu boşuna akar giderdi. İsteyen bu "kastal"lardan kovasını, testisini, güğümünü, tenekesini, kabını, bakracını doldurur, evine taşır, içer veya çamaşır yıkardı. Bizler 'su akar, deli bakar' diye alay edilmeyi hak etmiş olabilirdik ama bizim de babadan, dededen kalma kendimize özgü alışkanlıklarımız vardı. Avludaki kuyudan bir kova suyu bakır veya teneke ibriğe doldurup "avğhana"ya getirmenin, ibrikteki suyla yıkanmanın dışında, kağıt-mağıt gibi şeyler kullanmak atalarımıza karşı saygısızlık olmaz mıydı?

Kışın her yer, her taraf bembeyaz karlarla örtülü iken, sabahın kör karanlığında Ağacan Dayı'nın en erken uyanan kiracısı iseniz, ayağınızdaki beyaz uzun donunuzla ve karlar üzerinde ilk izleri açan tahta takunyalarınızla, ya da bizim deyişimizle "kapkap"larınızla varıp da kuyudan çektiğiniz suyu ibriğinize doldurup "avğhana"ya girdiğinizde, 'vuu-vuu-vuu' diye inleyen, "avğhana"nın kapısının altından girip üstünden çıkıp giden rüzgârın iliğinize kadar işleyen soğuğunu yaşardınız. Sizden sonra uyananlar, "avğhana"nın boşalmasını dört gözle bekleyip dışarda kuyruğa girenler, ilk sırayı kapamayıp geride kaldıkları için hayıflananlar, sizin kısık sesle, öksürerek gönderdiğiniz "avğhana dolidır, ayağ yolına girmeyın, birez daha sabır edın, ha şimdi çığhiyam!" mesajlarınıza ha babam, de babam öksürerek "di hade, acele et, bız burda savuğtan dondığh" diye karşılık verirlerken , sizi ne kadar kıskandıklarını bilirdiniz...

Babalarımızın işlerine gittiği, nenelerimiz ve dedelerimizin oturdukları yerde uykuya daldıkları, analarımızın çamaşır yıkadığı, hıyar turşusu kurduğu, çorap ördüğü, yün eğirdiği, yırtık donlarımızı yamadığı, hemen herkesin bir yaz gününün cehennemi ateşinden kaçarak başını sokacak serin bir yer aradığı zamanlarda ortalık biz çocuklara kaldığında, nereden ve nasıl öğrendiğimizi bilmediğimiz, hiçbir yerde görmediğimiz ama kendimizce icat ettiğimiz oyunumuzu oynardık. Kimimiz "uşağların avğhanasi"na, kimimiz "böyüklerin avğhanasi"na dalar, seslerimizi birbirimize duyurmak için tuvalet çukurlarından yeraltındaki kanallara var gücümüzle bağırırdık: "Alo... Santro! Alo... Santro!" Biri avludaki açık mutfakta, diğeri sokak kapısının ardında, birbirlerinden üç-beş metre uzaklıktaki bu "avğhana"lardan, telefon teli yerine bizim tarihi toprak künkleri kullanarak telefonculuk oynardık. Böylece seslerimizi birbirimize yeraltındaki "avğhana" künklerinden "Alo... Santro! Alo... Santro!" diyerek duyurabilen bir neslin çocukları olarak tarih sayfalarına geçiyorduk!

Mutfağın hemen yanıbaşında, avlunun en küçük odasında Eğso Baco dediğimiz yaşlı bir kadın oturuyordu. Asıl adı Yeğisapet'ti. Ama kimsenin öyle uzun boylu, Yeğisapet dediği yoktu. Kestirmeden giderek Eğso deyip işi bitiriyorlardı. Bu küçük odada yalnız başına yaşıyordu. Kocası, çocuğu, kimi kimsesi, sapı samanı yoktu. Erkenden, şafakla birlikte kalkar, işine giderdi. Eğso Baco kadın olmasına kadındı ama, yaptığı iş, erkeklerin yaptığı türdendi. O da "Kafle"den arta kalan birçok yaşlı Ermeni kadınları gibi inşaatlarda amelelik, sıvacılık, badanacılık yapardı. Akşamları iş dönüşünde doğruca odasına gider, içeri kapanır, küçük idare lambasının ışığı altında, içine ekmek doğradığı ayranı kaşıklayarak karnını doyururdu. Odasından dışarı çıkmazdı. Yalnız başına yaşamaktan hiç şikayetçi olmadığı gibi, aksine mutluydu. "Kafle"de kaybettiği kocasından sonra bir daha evlenmemişti. Daha doğrusu, yalnızlıkla evlenmişti.

Eğso Baco ne kazanırdı? Ekmek ve ayran dışında başka da bir şey yer, içer miydi? Bunu bilenler olmadığı gibi, onun işine akıl sır erdirebilen de yoktu. O, kendi küçük odasında, damının altında kendi hayatını yaşıyor, kendi gölgesiyle gününü geçiriyordu. Ama Ağacan Dayı'nın Eğso'ya dur durak verdiği, rahat bıraktığı yoktu. Avlunun ortasında dikilip yüksek sesle bağırırdı: "Eğsooo, kız Eğsoo, dişari gel! Gel de o güzel yüzün görağh!"

Ağacan Dayı'nın neredeyse Hançepek kahvesinden duyulan bu tiz sesini Eğso Baco'nun duymaması mümkün değildi. Ağacan Dayı, çağrısına karşılık alamayınca, bu kez gülerek tekrar seslenirdi:

"Kız Eğsoo, bemurad Eğso! Yoğhsam çil çil altunlarıni sayisan?"

Avlunun tüm kara taşları "Eğsoo, Eğsoo" sesleriyle yankılanırken, avlunun tüm taşları konuşurken, Eğso'dan ne ses, ne bir nefes!

Eğso'nun bu sessizliği karşısında avludakiler, Eğso'nun gizlice altınlarını saydığına hükmeder, kendi aralarında çeşitli yorumlar yaparak gülüşürlerdi. Ağacan Dayı'nın sık sık tekrarladığı kanaatine göre, Eğso, altınlarını eski, partal yorganının, yatağının, yastığının içine gizliyordu. Bu konuda asla yanılmadığını yineliyor, hatta daha da ileri gidiyordu:

"Bu bemurad Eğso'nun eger ki altuni yoğhsa, valla benım de aklım yoğh! Peki, diyağh ki altuni yoğh. Elese, Eğso niye işe giderken kapısıni kitli, bi de üstıne iki asma kilit daha vuri? Ma evde ğırğız dolaşi? Var mi Eğso'dan başka kapısına kilit vuran? Ula Eğso, zatani kor ocağsan, züryetın yoğhtur, altunların kime kalacağ?"

Yaşlı Eğso'nun odasıyla bizimkini ayıran kerpiç bir duvardı. Bizim damımız evin en büyük damıydı. En çok direği olan bizim odamızdı. Tam onyedi direk yan yana, aralıklı dizilmişti. Diğerlerinin ise en fazla sekiz veya on direkleri vardı. Bizim odamızın altı da kilerimizdi. Biz, yani babam, anam, kızkardeşim, erkek kardeşim, küçük kızkardeşim, küçük erkek kardeşim, sonra diğerleri, yeni doğduğu için henüz adı dahi konmamış olan kardeşim, hepimiz bir odada yaşardık. O odada yer içer, orda oturur kalkardık. Odamız, damımız, avludakilerin en büyüğüydü ama kirası da diğerlerinden fazlaydı. Ayda on lira veriyorduk. Aybaşlarında babam beni yanına çağırır, şöyle derdi:

"Aç avucuni!"

Ben babamın bu buyruğu üzerine avucumu açar beklerken, o da avucumun içine "bir, iki, üç, dört, beş, alti, yeddi, sekkız, dokkız, on" diyerek sayar, "on" deyip te son gümüş lirayı avucuma koyunca, ilave ederdi:

"Bunlari götır, Heci Mama'ya ver!"

Ben odamızdan çıkar, avludan yürür, merdivenleri tırmanır, doğruca Hacı Mama'nın çardağına yönelirdim. Gümüş liraları avucumda iyice sıkarken, babamın kazandığı bu paraları Hacı Mama'ya niçin verdiğimizi de doğrusu pek bilmezdim. Odaya girince avucumdaki liraları Hacı Mama'ya uzatırdım.

"Heci Mama, al!"

Hacı Mama paraları alır, o da bu kez kendi avucuna tek tek Ermenice sayardı:

"Meg, erguk, irek, çurs..."

Tüm kiracılar aylık kiralarını Hacı Mama'ya verirlerdi. Ağacan Dayı'nın parayla, pulla işi yoktu. Onun paraya olan yakınlığı gökyüzündeki yıldızların evimize yakınlığı kadardı. Peki ya Hacı Mama? Onun da paraya olan tutkusu, Ağacan Dayı'nın ağzında çiğneyip durduğu mendilinden farksızdı. Kiraları hep Hacı Mama arttırırdı. Onun için de babam arada bir anama içini dökerdi:

"Hıno, bilisen? Heci Mama gene kirayi artırdi. Onbir lira isti."

Hacı Mama şişman, kısa boyluydu. Ağacan Dayı zayıf ve uzun. Hacı Mama daha çok bir topu veya balkabağını andırıyordu. Kudüs'e gidip hacı olmuştu. Tombul bileğindeki mavi dövmesini gösterip sık sık bununla gururlanırdı:

"Bu nişani görisiz? Heci nişanidır! Buni Kudüs'te vurilar."

Zaten Diyarbakır'da Kudüs'e gitmiş, hacı olmuş kaç kişi vardı ki? Topu topu üç-beş kişi. Bunlardan biri de Hacı Mama'ydı.

Bizim odanın bitişiğinde, küçük avluya açılan daracık bir "zabok", yani dar bir geçit vardı. Bu geçitten geçince yan yana iki oda daha vardı. Birinde Estedur Dayı, anası yaşlı Potorik Baco, karısı Verto Baco ve oğulları Yervant, Nişan ve kızları Jülyet yaşıyorlardı.

Estedur Dayı pazartesi, salı, çarşamba, perşembe, cuma ve cumartesi günleri dokumacılık yapar, mekik sallar, "puşi" dokurdu. Ancak pazar günlerinin Tanrı'ya ait olduğunu söyler, sabah erkenden doğruca Surp Giragos Kilisesi'ne yönelirdi.

Diyarbakır'da Ermenice okuyup yazan yaşlı kuşaktan geriye kalanlar parmakla sayılacak kadar azalmış, tükenmeye yüz tutmuştu. Yeni kuşaklar okul olmadığından Ermenice yazıyı öğrenememişti. Okuyup yazanlar içinde başta papaz Der Arsen ve yamağı Şişko Agop geliyordu. Sonra da kilise yönetim kurulu başkanı sayın bay Dabağ Karnik, Çulcu Dikran, Çulcu Mardiros, ana okulunun eski öğretmeni bayan Ojen ve bir de bizim Estedur Dayı... Der Arsen, Şişko Agop ve

Estedur Dayı, kilisede dini kıyafetlerini giyip yan yana geldiklerinde kutsal bir üçlü oluşturur, kutsal haça dönüşürlerdi.

Estedur Dayı'ların bitişiğindeki ikinci odada da, dut ağacının gölgesinde Keya Dayı'lar yaşıyordu: Keya Dayı, anası yaşlı Hıçe Nene, karısı Meryem Baco, kızı Teko ve oğlu Seto.

Keya Dayı'nın eskiyip lime lime olmuş nüfus kağıdında isminin karşısında Norabet Nalbantyan yazmasına karşın hiçbir Allah'ın kulu, bir gün çıkıp ona Norabet diye hitap etmiş değildi. Zaten Norabet Nalbantyan deseniz, kimse anlamaz, hemen "hanki Norabed?" diye sorardı. Keya Dayı'dan sözettiğinizi söylediğinizde de şaşırıp kalır, güler geçerlerdi; ama Keya veya 'muhtar' dediğinizde herkes onu tanırdı. Gerçi muhtarlıkla da uzaktan yakından bir ilişkisi yoktu. Ne okuması, ne de yazması vardı. Ona bu ad neden ve niçin takılmıştı, bir bilen de yoktu.

Keya Dayı da Ağacan Dayı gibi, yaman ve işinin ehli bir duvarcı ustasıydı. Her gün erkenden şalvarını giyinir, yemenilerini ayağına çeker, işe giderdi. Akşamları iş dönüşünde, sokak kapısının "şakşako"sunu çaldığında, karısı Meryem Baco, onun geldiğini anlar, koşar kapıyı açardı. Keya Dayı yüklendiği bir karpuzu ve iki kavunuyla içeri girerdi.

Keya Dayı'nın sabah işe gitmek üzere giydiği siyah şalvarı, akşam işten yorgun argın döndüğünde toz toprak, çamur, kireç, alçı, çimento ve harçla yoğrulmuş olurdu. Karısı Meryem'in ömrü Keya Dayı'nın şalvarlarını yıkamakla geçip gidiyordu ama, hayatından hiç şikayetçi değildi. Hatta çoğu kez, ağzından eksik etmediği dualarında, oğlu Seto'yu, "avğhana"ya giderken, o daracık "zabok"ta, ayak üstü de olsa sağ salim doğurmasına yardımcı olan Tanrı'sına şükranlarını sunmayı hiç unutmuyor, son anda oğlunun düşüp bok yoluna gitmediğine şükrediyordu.

Biz çocuklar, Ağacan Dayı'nın kiracılarının çocukları, aynı avluda büyüdük. Ben Dişçi Ali'nin, gâvurca adıyla Dişçi Sarkis'in oğlu ve diğer kardeşlerim, Estedur Dayı'ların ayran çorbasını içtik. Anamın lohusalığında hastalanıp sütünün kesildiği günlerde Estedur Dayı'nın karısı Verto Baco'nun kucağında oğlu Yervant'la ben aynı memeyi emdik. Onların çocukları bize Eğil'den gelen ince pestillerden yediler.

Ağacan Dayı'nın torunları, Keya Dayı'nın çocuklarıyla beraber, aynı tencereden mercimek çorbasını kaşıkladılar. Analarımızdan birinin hastalığında, diğerleri onun başucunda sabahladılar. Aynı avluda babalarımız birbirleriyle "hanek" edip, şakalaşıp tavla oynadılar, cümbüş, ud, darbuka çalıp şarap içtiler. Analarımız aynı sininin etrafında toplanarak hep beraber buğday ayıkladılar, dolmalık patlıcan oydular, üzüm suyundan şıra çıkarıp "kesme", pestil, sucuk yaptılar.

Bizler hep beraber, kardeş kardeşe büyüdük. Potorik Baco, nar ağacının altında bize masallar anlattı. Hıçe Nene, dut ağacının gölgesinde bizi salıncakta sallayıp uyuturken, hikayeler anlattı: "Evvel zaman içinde, ğhalbur saman içinde, develer tellal iken, pireler berber iken, melmeketin birinde bi kral yaşarmiş..."

Evet, bir zamanlar, develerin tellal, kalburların saman içinde olduğu dönemlerde bir krallık vardı. Ağacan Dayı ve kiracılarının krallığı. Diyarbakır'da, Hançepek'te, Gâvur Mahallesi'nin Direkçi Sokağı'ndaki ondört nolu evin krallığı.

O masalın krallarından, kraliçelerinden, gelin ve damatlarından hiçbiri artık o evde yaşamıyorlar. Dallarında olgun narların çatladığı nar ağacımız, dutunu yerken dudaklarımızı mora boyayan "kara hübür" ağacımız kurudular.

Ağacan Dayı, kızı Verjin abla, kocası Kuyumcu veya Topal Haço, "bemurad" yaşlı Eğso, Hıçe Nene, Keya Dayı'nın karısı Meryem Baco, Estedur Dayı'nın anası Potorik Baco, oğlu Yervant, Diyarbakır Ermeni Mezarlığı'nda kaldılar.

Anam Hıno ile babam Dişçi Ali, İstanbul'daki Şişli Ermeni Mezarlığı'nda, başlarında dikili duran mermer bir haçın gölgesinde uyuyorlar. Keya Dayı, Norabet Nalbantyan, Bağlarbaşı Ermeni Mezarlığı'nda ünlü şairimiz Bedros Turyan'a komşu gitti. Estedur Dayı, Yedikule surları dışında, Balıklı Ermeni Mezarlığı'nda daha dün duvar dibinde kazılan bir çukura gömüldü. Biz, geride kalanlar, biz, yaşayanlar, şimdi evimizi, dut ağacımızı, nar ağacımızı ve onların gölgesini arıyoruz...

Alo... Santro!

Alo... Santro!

KALTAK

Bizim oralarda, Diyarbakır'da, ulu Tanrı'nın yarattığı ve sonradan adına 'insan' dediği canlıların bir kısmı, hep birlikte paşa paşa yaşıyorduk. Tanrımız birdi ama peygamberlerimiz farklıydı. Yüce Tanrı'mıza şükranlarımızı sunmak üzere, O'na kul ve köle olarak dualarımızla ulaşabileceğimiz 'Tanrı evleri' inşa etmiştik. Ama Tanrı'ya seslenirken değişik dil, değişik ifade, değişik tören ve değişik inançlar sergiliyorduk. Tanrı evlerimizin adları da değişikti. Bazılarımıza göre Tanrı'nın evi cami, bazılarına göre kilise, bazılarına göre havraydı. Tanrı'ya seslerimizi daha iyi duyurabilmek için kimimiz Tanrı evlerimizin yanında yükseklikte biribiriyle yarışan minareler veya çan kuleleri inşa etmiştik. Kimimiz yandaşlarımızı 'Tanrı evleri'ne toplamak için minare tepelerinden seslenip 'Allahuekber' diyorduk. Bir kısmımız ise 'ding-dong' makamında çan çalıyorduk. Çan çalmadan, minareden seslenmeden, sessizce, kendi 'Tanrı evleri'ne yandaşlarını kendi yöntemleriyle toplayanlar da vardı.

Tanrı'ya ulaşmak, O'na varmak için kendi aramızda kıran kırana yarışırken, bunun sadece ve sadece bir tek yolu olduğunu, onun da Tanrı'ya inanmaktan başka bir şey olmadığını dilimizden düşürmüyorduk, ama yine de o biricik yolu ararken değişik yönlere gidiyorduk. Kendilerine 'Müslüman' diyenler camiyi veya cem evini seçerken, 'Hıristiyan' diyenler ise, Tanrı'ya ulaşmanın tek yolunun kiliseden geçtiğini kabul ediyorlardı. Bunların içinde 'her yol Roma'ya çıkar' diyen Katolikler başı çekiyorlardı. 'En kestirme yol bizimdir' diyen Protestanlar vardı. 'Doğru yolda bize katılanlar pişman olmayacaklardır' diyerek övünen Ortodokslar ve 'Hıristiyanlığı yeryüzünde ilk kez devlet dini olarak kabul eden bizleri izleyiniz' diyen Gregoryenlerin yanısıra, yine doğru yolu bulma çabasıyla yan yollarda, tali yollarda şansını deneyenler, bu özlemle yanıp tutuşanlar da vardı.

'Musevi' olduklarını söyleyenler ise "özi özlerine"ydiler. Yani kendi alemlerinde ve kendi doğru bildikleri yoldaydılar. Onların Tanrı'ya ulaşma yolunda, hayaller peşinde olmayan gerçekçi düşünceleri vardı. Bu düşüncelerini de en eski Tanrı evlerinden birisi olduğunu iddia ettikleri havralarında veciz bir ifadeyle dile getiriyorlardı: 'Göze göz, dişe diş!'

Gerçi bunların dışında kendilerince Budist-mudist, Zerdüşt-merdüşt diyerek Tanrı'nın yollarını arayanlar, aramaya devam edenler de vardı ama, onlar bizim Diyarbakır'a daha ulaşamamışlardı. Hıristiyanların Tanrı evinin temsilcisi, peygamberi Hazreti İsa'ydı. Müslümanların Hazreti Muhammed, Musevilerin ise Hazreti Musa idi. Musevilere soracak olursanız bu sıralamada haksızlık, hatta yanlışlık vardı. Evvela Hazreti Musa'dan, sonra diğerlerinden bahsetmek gerekirdi. Dahası, Hazreti Musa'dan bahsetmeden, Hazreti İsa'nın sözünü etmek düpedüz yandaşlık, hatta gerçekleri saptırmaktı. Unutmamak gerekirdi ki, İsa, dinine sırt çevirmiş eski bir Yahudi'ydi! Müslümanlar, Musa'nın ve İsa'nın unlarını eleyip eleklerini duvara astıklarını, dolayısiyle Tanrı evinin tek ve son temsilcisi olarak Hazreti Muhammed'i gördüklerinden, hak yolun, hakka ulaşmanın ancak camilerden geçtiğini, minarelerden günde beş vakit seslenerek herkese duyuruyorlardı.

Bunların dışında, kimileri de daha değişik düşünüyorlardı. Onlara göre, Hazreti İsa'dan, Musa'dan, Muhammed'den ve onlardan da önce gelen diğer peygamberlerin hepsi de, tümü de hazreti Adem babamız ile Havva anamızın evlatları ve torunları olduğuna göre bir orta yol bulunup anlaşmak en doğru yoldu!

Başkaları da vardı. Bunlara göre de Tanrı'nın esas evi, insanların vicdanı ve onun sesiydi. Bu sese kulak verenler, bu sesi dinleyenler eninde sonunda Mevla'sını bulurdu. Bulamayanlar ise belasını! Sayıları giderek azalan, düşündüklerini de rahatlıkla ve fütursuzca söyleyen bu insanlara 'iki dinden avare' denirdi. Kilise, cami ve havra kapılarında toplanan sadakalarla bu 'iki dinden avare'lere 'Tanrı adına' yol parası temin edilir, tedavi edilmek için tımarhaneye, yörenin ve Elazığ'ın meşhur deli hastanesine gönderilirlerdi.

Deliler Elazığ'ın yolunu tuttuklarında geride kalanlar kendi işlerine gönül rahatlığıyla dönerlerdi. 'Deli' veya 'iki dinden avare' deyince hepsi aralarında çok rahat anlaştıkları halde, kendi içlerinde zaman zaman anlaşmazlıklara, çatışkılara da düşerler, Allah'ına sığınan, karşısındakine zındık, Fılle, Yezidi'den başlayıp ağzına geleni veriştirir, bazen hızını alamayıp işi din imana kadar götürdüğü de olurdu.

'Din kardeşi' olmayanlara 'gâvur' veya "haço" demek de bir başka kızgınlık ifadesiydi. Ama bu hiçbir zaman 'ananı avradını' veya 'soyunu, sopunu' sözcükleriyle başlayan küfürlerle karıştırılmamalıydı. Bu sadece ağız alışkanlığından kaynaklanıyor, hatta zaman zaman bir övgü niteliği de taşıyordu:

"Verdığım para gâvur oğli gâvura anasının süti kimi helal olsun! Onun tiktiği yemeni allahvekil heç eskimi!"

"Haço'nın dölünde ne ğhefif el var, kardaşım! Dişımi çekti, heç ferkıne varmadım!"

Türkçe 'gâvur'un karşılığı Kürtçe Fılle'ydi. Ama gerek Türkçede ve gerekse Kürtçede ortak nokta "haço" olarak tescil edilmişti. Türkçede korkak Yahudi deniyordu ama korkak Musevi denmiyordu. "Cehü", Yahudilere Kürtçede verilen addı. Biz Hıristiyanlar ise Yahudilere "Moşe" diyorduk. Hıristiyanların hepsi toptan gâvur veya "Fılle" oldukları halde kendi içlerinde Ermeni, Süryani, Keldani, Pırot'tular. Ermeniler ise Süryanilere "Asori" derlerdi. Müslümanların tüm Hıristiyanlara toptan gâvur demelerine karşılık, Hıristiyanlar da tüm Müslümanlara toptan "Dacik" diyorlardı.

Ama tüm bunların dışında gerçek olan şuydu ki, deliler bir safta, geriye kalan diğerleri, yani Dacikler, Gâvurlar, Haçolar, Kızılbaşlar, Yezidiler, Ermeniler, Türkler, Kürtler, Keldaniler, Süryaniler, Asoriler, Pırotlar, Fılleler, Moşeler, Cehüler, Dürziler hep beraber diğer saftaydık!

Her iki safta yerini almayan bir de Rumlar vardı ama, onlardan Diyarbakır'da ilaç için arasanız bir tane dahi bulamazdınız. Köşede bucakta belki kalmıştır, "kıtti" gibi turşu kurmaya yarar diye aradığınız zaman boşuna heveslenirdiniz!

Deliler gidip de meydanı geride bizlere bırakınca, Diyarbakır'da herkes kendince bir yerlere yerleşmişti. Biz Ermeniler Gâvur Mahallesi'nde, Hançepek'te oturuyorduk. Yahudiler bizim kapı komşumuzdu ve Yahudi Mahallesi'ni parsellemişlerdi.

Moşelerin, Yahudilerin mahallesi şehrin doğusunda, Yeni Kapı surlarının dibindeydi. Başka bir deyişle Gâvur Mahallesi, Gâvur Meydanı ve Yeni Kapı surları arasında yaşıyorlardı. Mahallelerinde sırf kendileri oturuyorlardı. Aralarında Türk, Kürt, Ermeni falan yoktu. Hepsi de ticaretle uğraşıyorlardı. Zaten bizim oralarda Moşe demek bir bakıma ticaret yapan adam demekti. Zengini de, fakiri de alış veriş işleriyle uğraşırlardı. En fakir Yahudi bile, bir dükkan açacak kadar sermayesi olmayan dahi, ne yapar eder, kendince ticarete yönelirdi. Hiçbir şey yapamayan da sırtına bezden bir torba asar, bağıra bağıra sokakları dolaşır, eskicilik yaparak geçinmeye çalışırdı:

"Şişe aliyam, boş şişeee..."

"Kepek sataaan, kepek aliyam..."

"Elbise aliyam, eski elbiseee..."

"Yemeni aliyam, eski yemeni..."

Boş şişeleri, değirmenden geldikten sonra elenen unlardan geriye kalan buğday kepeklerini, eskimiş, yırtık, yamalı elbiseleri, ayakkabı ve yemenileri satın alırlardı. Yaptıkları sıkı pazarlık sonucunda karşılık olarak ödedikleri de üç-beş kuruşu veya 'delikli yüz para'yı geçmezdi. Zaten o yüz paraları da, 'on para'ları da daha analarımızın avucuna saymadan, biz çocuklar havada atmaca gibi, doğan gibi kapar, doğruca şekerci veya leblebici dükkanlarına yönelirdik; mevsim yaz ise doğruca dondurmacıya... Moşeler akşamları genellikle Melik Ahmet Caddesi'ndeki attariye, züccaciye, nalburiye, kaya tuzu, yün, yapağı, zeytinyağı, çengelli iğne, firkete, makas, makara ipliği, kuka, kanaviçe ipliği gibi şeyleri sattıkları dükkanlarının tahta "daraba"larını, tıpkı bir yaz gecesi, damdaki "taht"ta uzanmış, çoban yıldızını, samanyolunu ve kayan yıldızları izlemeye dalmışken, uzaklardan gelip kulağınızda yankılanan, yanık sesli delikanlının tutturduğu,

"Zello, Zello, tahta daraba,
Ya beni alırsın Zello,
Ya vaz geçersin
Zello, Zello, tahta daraba"

türküsündeki, gönlünün kapısını sevgilisine tahta "daraba"larla kapatan zalim Kürt kızı Zello gibi, dükkanlarının "daraba"larını, yani kepenklerini kapatıp üzerine de sayısız asma kilitlerini vurduktan sonra, günlük kazançlarının heyecanıyla evlerinin yolunu tutarlardı. Evlerine gitmeleri için de önce bizim Hançepek'ten, Gâvur Mahallesi'nden geçmeleri gerekiyordu. Gidecek başka yolları da yoktu. Önce Balıkçılarbaşı'ndan aşağı yürüyerek, Dört Ayaklı Minare'nin yanından geçecek, sonra Hançepek kahvelerinin önünden evlerinin yolunu tutacaklardı. En kestirme yol, en yakını buydu. Ama mevsim yaz ise, sokaklar karpuz ve kavun kabuklarından geçilmiyorsa, Diyarbakır'da Yahudi olmak da her babayiğidin harcı olmadığına göre, çoluk çocuğun fırlattığı karpuz kabuklarına hedef olmamak için bazen yollarını uzatırlar, kahve önlerinde onların dönüşünü sabırsızlıkla bekleyen "pic"leri atlatarak ara sokaklardan evlerine giderlerdi.

Süryaniler de kendilerine göre en uygun yerleşim yeri olarak şehrin batısını seçmişlerdi. Süryaniler, yani Asoriler, Urfa Kapısı ve Mardin Kapısı'nın arasındaki bölgede, tarihi Meryem Ana Süryani Kilisesi'nin çevresinde yaşıyorlardı. Hıristiyan olmalarına Hıristiyandılar ama, Hıristiyanlığı da başkalarına bırakmayacak kadar koyu dindardılar. Onlara göre en eski Hıristiyanlar kendileriydi. Bunu genelde uzun boylu ve yakışıklı papazları şu cümle ile ifade ederdi. 'Bız eski Sami ırkındanığh. Bız Süryaniler Sürye'li Aramilerığh. İsa Peğhember'ımızın aziz havarisi Şemun Petrus'un yolundan gidıp Hıristiyanlığı kabul eden kavimlerden biriyığh. Onın için bıze Süryani Kadim, yane eski Süryaniler denılır. Dinımızın ilk merkezi de Antakya'dır. Diyarbakır'a, Midyat'a, Urfa'ya, Malatya'ya soradan gelmiş yerleşmişığh'.

Her yiğidin bir yoğurt yiyiş tarzı, her horozun kendi çöplüğünde ötüş kuralları Süryani Mahallesi'nde de geçerliydi. Onların mahallesindeki kadınlar pencerelerden başlarını uzatarak veya kapıdan kapıya birbirlerine seslendiğinde ne tür bir dil konuştuklarını pek anlayamazdınız. Konuştukları veya isterseniz şakıdıkları dil diyelim, Arapça ağırlıklıydı. Buna arada bir Türkçe ve Kürtçe kelimeler de gelip karışıyordu.

Diyarbakır'da herkes bir yerleri parselleyince Keldaniler de boş durmamış, onlar da Şeyh Matar Camisi ile hemen onun yakınındaki kendi kiliselerinin etrafında mekan tutmuşlardı. Bir de tek tük Ermeni evlerinin arasında dağınık yaşıyorlardı. Onlar da eski bir Hıristiyan topluluğuydu. Kendi aralarında Nesturiler diye değişik bir mezhepleri de vardı. Süryanilerin ve Keldanilerin papazına "ebune", bizim Ermenilerinkine de "der hayr" veya "der baba" deniyordu. Hepsi papazlığına papazdı ama yüce ve tek peygamberlerine değişik lisanlarla ulaşmaya çalışıyorlardı. Keldanilerin kubbeli büyük kilisesine bir pazar günü gittiğimi anımsıyorum. Keldani asıllı Abit adındaki bir arkadaşım götürmüştü. Sekiz, belki dokuz veya on yaşlarındaydım. Onların kilisesi de zaten bizim Surp Giragos Kilisesi'nin yakınındaydı. Kilisenin sokak kapısından içeri girdiğinizde büyük bir avlu vardı. Avludan sonra cümle kapısından girince, hemen ardında küçük bir mermer kurna vardı. Bu kurnanın içindeki kutsal suya elinizi sokup sonra yüzünüze sürüyordunuz. Ben bilemiyordum ama arkadaşım yapınca ben de onu taklit ederek aynısını yaptım. Yaptım ama şaşırdım da. Çünkü bizim kilisemizde böyle minik kurna-murna, havuz-mavuz, su-mu yoktu. Süryani kilisesinde de yoktu. Oraya da bir kez gitmiştim. Abit'e soracak olursanız esas ve doğru olanı kendi yaptıklarıydı. Bana, daha doğrusu bizim Der Arsen'e soracak olursanız, bizimkinden şaşmamamız gerekiyordu. Sonra bizim kilisede papazımız Tanrı'ya seslenirken hep şöyle diyordu:

"Aleluya, aleluya..."

Oysa Abit'in kilisesindeki ebune değişik bir dil kullanıyordu:

"Keddişe, keddişe..."

Herkes kendince Tanrı'ya ulaşmak için değişik dil, değişik yöntemler kullanıyordu. Ama ne bizim "aleluya"larımız, ne Keldanilerin "keddişe"si ve ne de Süryanilerin, Pırotların bilmem nesi, hiçbirinin sesi Şeyh Matar, Nebi'i, Bıyıklı Mehmet Paşa, Hüsrev Paşa, Peygamber, Şeyh Safa, Behram Paşa, Melek Ahmet, Nasuh Paşa ve eski bir kiliseden bozma Ulu Cami'nin yüksek minarelerinden tüm şehre dalga dalga yayılan, kilise ve hamam kubbelerinden yansıyıp şehri çepeçevre dolanan surlarda yankılanan "Allahu ekber, Allahu ekber..." sesleri kadar Tanrı'ya ulaşamıyordu.

Yahudilerin aksine, Ermenilerin hemen tümü sanatkardı. Diyarbakır'daki tüm demircilerin, evet demircilerin hepsi Ermeniydi. Demirciler Çarşısı'nın bir ucundan girip diğer ucundan çıktığınızda ilk demirci dükkanı Sımpat ustanın, sonuncusu da dayım Haço'nunkiydi. Ermeniler nedense kızgın demirleri döverek, ateş karşısında terleyerek ekmek parasını kazanmayı tercih ediyorlardı. Kazma, kürek, karasaban, orak, balta, "dere", kapı tokmağı, nal, nal mıhı, "keyd", tavşan kapanı, tilki ve kurt kapanları yapıyor, çoğu da kendi babalarının ve dedelerinin mesleklerini sürdürüyorlardı. Onlar için demircilik, sanki babadan oğula geçen bir padişah fermanı gibiydi. Bundan dolayı da çoğunun soyadı Demirci'ydi. 'Hangi Agop' diye sorduğunuzda alacağınız cevap üç aşağı beş yukarı şöyle olabiliyordu:

"Demirci Mero'nun oğlu Demirci Agop Demirciyan".

Demircilik babadan oğula geçtiği için de, bizim oralarda babalar bir, iki, üç, dört, beş, altı, yedi, sekiz, dokuz ve daha fazla evlat sahibi olmak için, genç yaşta işe koyulurlar ve bu işi de evvel Allah, Allah'ın izniyle de başarırlardı. Demirciler ustası demirci Yeğya, örsünün başında kendisiyle beraber kızgın demire 'hıng-hıng-hıng' diye var güçleriyle balyoz indiren, çekiç sallayan oğulları Azat, Arşak, Hovsep ve onlara bir yandan körük çekip bir yandan da "başındaki 'puşi' midir loy loy loy..." türküsüyle eşlik eden, küçük oğlu Haço'yla kim bilir ne kadar gurur duyardı!

Ermenilerin demircilikten sonra yaptıkları ikinci işleri de yemenicilikti. Diyarbakır ve çevresindeki köylülere diktikleri yemenilerle ünlüydüler. Yemenicilik dışında yine çoğunlukla taş yontma ustalarıydılar. Diğer mesleklerden, diğer sanatlardan da çoğunlukta olanlar Ermeni ustalarıydı. Genelde meslekleri de kendi adlarının başında yer alırdı: Kazancı Bedo, Sobacı Nigoğos, Kalaycı Vanes, Nalbant Istepan, Marangoz Nışo, Terzi Antranik, Çulcu Hello, Dişçi Sarkis, Kuyumcu Haço... Aynı meslekten ve aynı ismi taşıyanların adlarının önüne ise, ayrıca uygun sıfatlar eklenir, kör, "keçel", topal denerek yanlışlıklar önlenirdi.

Demircilikte kendilerine rakip tanımayan Ermeniler, kuyumculukta Süryaniler tarafından zorlanıyorlardı. Süryanilerin çoğunluğu kuyumcuydu. Kuyumculuğun dışında ipek böcekçiliği, "puşi"cilikte de başı çekiyorlardı. En çok da Buğday Pazarı çevresindeki terzi dükkanlarında Kürtlere diktikleri şalvarlarla ünlüydüler.

Türklerin çoğunluğu devlet memuruydu. Eczacı, doktor, hakim, savcı, kaymakam, öğretmen, polis ve askerlerin dışında, diğer mesleklerden de şehrin ana caddelerinde iş yerleri vardı.

Keldaniler sayıca en az olanlardı. Çeşitli işlerde çalışıyorlardı. Abit'in babası meşhur kunduracı Fehmi'ydi. En büyük attarlar Keldaniydi. Attarların hemen hepsinde bulunan attariye, zencefil, karanfil, limon tuzu, karabiber, kişniş, yenibahar dışındaki bir sürü ıvır zıvırı, davul tozu, minare gölgesi, yedi dükkan süprüntüsü gibi şeyleri, ancak Keldani asıllı Attar Yusuf'un Gazi Caddesi'ndeki dükkanında bulabilirdiniz. Onda da yoksa, şansınızı bir de Mardin Kapı yolundaki Kırk Anbar adlı dükkanda denemeliydiniz.

Kürtlerin çoğunluğu yakın köylerde yaşarlardı. Toprakla ve hayvancılıkla uğraşırlardı. Şehirde sayıları az olan zengin köy ağaları dışındakilerin yaptıkları işler çoğunlukla ayak işleriydi. Sokakları süpüren erkek çöpçüler, onlara yardım eden "aşefçi" kadınlar, hamallar, ormandan kestikleri odunları atlarına, eşeklerine katırlarına yükleyip şehre getirenler, inşaatlarda çalışan ameleler, sıcak cehennemi yaz aylarında sokak başlarında, cadde köşelerinde toprak testiler içinde soğuk su satanlar, soğuk su satarken kendi dillerinde reklam yapanlar da onlardı:

"Ava buzee,
Kankıla kuzee,
Memıka kiyzee,
Ha verın ava buzee."

Onların 'buzlu suuu, ceviz içi, kız memesi gibi buzlu suya geell!' diye seslenişine yönelip çevresi tırtırlı bir kuruşları bastıranlar, Ulu Cami'nin "kastal"larından doldurulmuş, içine de bir parça buz atılmış testideki Hamravat suyundan bir tas içebilirlerdi.

Süryaniler Diyarbakır'dan çok Midyat ve Mardin'de yerleşmişlerdi. Hatta en büyük manastırları Mardin'deydi. Adı da Der Zahfaran'dı. Patriklerinin ve papazlarının dini bilgisiyle çok övünürlerdi. Süryanilerin bir kısmı konuştukları Arapçanın dışında, Ermeniceyi de öğrenmişlerdi. Keldaniler içinde de Ermenice bilenler vardı.

Ermeni, Süryani ve Keldaniler Hıristiyan olduklarından, zaman zaman az da olsa birbirlerinden kız alıp verdikleri oluyordu. Böylece bazı Keldani ailelerin kızları Ermeni delikanlılarıyla evlenmiş, bazı Süryani delikanlıları da Ermenilerden kız alarak hısım-akrabalık ilişkileri kurmuşlardı. Ama asıl istenen, arzu edilen, bir Ermeni'nin Ermeni ile, veya Süryani'nin Süryani ile evlenmesiydi.

Kürtlerle, Türklerle, daha doğrusu Müslümanlarla, toptan söylersek "Dacik"lerle böyle bir alışverişe girmek, kız alıp vermeyi bir tarafa bırakın, böyle bir düşüncenin varlığı dahi kabul edilemezdi. Böyle bir yaklaşım hem Tanrı'ya, hem İsa Peygamber'e, hem de insanlığa karşı işlenmiş bir suç, suçun ötesinde günahtı! Böyle bir günahı Diyarbakır şehri kuruldu kurulalı hiçbir Allah'ın kulu işlememiş, işlemek cesaretini göstermemiş, böyle bir düşünceyi aklının ucundan bile geçirmemiş, geçirememişti. Dünyada olacak şeyler vardı, bir de olmayacaklar. Bu tür şeyler kesinlikle olmayacaklar, olamayacaklar grubuna girerdi. Bir "Dacik"le bir Ermeni, veya bir Süryani veya bir Keldani'nin evlenmesini düşünse düşünse ancak bir deli düşünebilirdi ama, zaten onlar da, kundaktaki bebeler gibi sıkıca sarılmış, toparlanmış ve Elazığ'daki tımarhanenin yolunu çoktan tutmuşlardı. Sonra Der Arsen kilisemizde sabah akşam kim ve kimler için ha babam boğazını patlatıp, gırtlağını yırtıp "aleluya, aleluya" diyordu? Keldanilerin papazı Ebune Hore, kilisesinde boşuna mı "keddişe, keddişe" diye sesleniyordu? Şeyh Matar Camisi'nin imamı, laf olsun diye mi "eşhedü enne..." diyordu?

Bir yanda Müslüman, diğer yanda Hıristiyan biri ve sonunda bir evlilik olacak şey miydi! Dünya tersine belki dönebilirdi ama, böyle bir şey olamazdı! Zaten böyle bir duaya da ne hoca, ne hacı, ne imam, ne de papaz 'amin' derdi. 'Amin' diyecek kişi de henüz anasının karnından doğmamış ve güneş yüzü görmemişti.

Vee, günlerden bir gün, dünya ters yönde dönmeye başladı. Hançepek'te, Gâvur Mahallesi'nde o gün dünya alt üst oldu. Yer yıkıldı. Topraklar insanların ayakları altından kaydı. Gökyüzü yarıldı. Bulutlar utançlarından kaçacak delik aradılar. Yıldızlar ışıklarını gizlediler, solup tükendiler. Güneş ve Ay karşılıklı ağlaştılar, konuşamadılar, kekeme kesildiler, dilleri tutuldu, lal olup karardılar. Rüzgar ortalığı silip süpürdü. Yağmur sel kesildi. Kıyamet günü gelip çatmıştı. Olmayan olmuş, dünya tersine dönmüştü. Çünkü Süryani Yakup'un kızı Namo, gece yarısı fırıncı Kürt Hüso'nun oğluna kaçmıştı.

Süryani bir kız, bir gâvur kızı, Müslüman bir Kürt'e bir "Dacik"e kaçmıştı! Evlenip ev bark kuracaktı! Sizin hesap kitap, din imandan haberiniz var mı? Elma ile armut, kavun ile karpuz, ne zamandan beri toplanıyordu? Tüm insanların dış görünüşleri birbirinin aynıdır diye, aynı kefede, aynı terazide ne zamandan beri tartılmaya başlanmıştı? Şalgamla turp da birbirine benzerdi ama, birisi şalgamdı, diğeri de turptu. O zaman Tanrı neden bir tarafta şalgamı yaratırken, diğer tarafta turpu yaratıyordu? Öyleyse birinden birine ne gerek vardı? Tanrı'nın yapmadığını, Tanrı'nın koyduğu kuralları tövbe tövbe insan denen şu zavallı yaratıklar mı değiştirecekti? Olur muydu böyle bir şey? Olmazdı! Olamazdı!

Ama oldu! Olabildi!

Kötü haber sabahın erken saatlerinde, şafağın kör karanlığında Diyarbakır'daki horozların aynı anda ve aynı nakaratla ötmesiyle birlikte dalga dalga tüm Ermenilerin, Süryanilerin, Keldanilerin, Türklerin, Kürtlerin, Kızılbaşların, Yahudilerin ve onların da ardından uyuz eşeklerin, bitli tavukların, keneli köpeklerin, dokuz canlı kedilerin, sağır farelerin, dilsiz sıçanların, dikenli kirpilerin, yedi boğumlu akreplerin, gömleğini değiştiren yılanların, toprak altında inim inim inleyen solucanların, kuyruksuz kertenkelelerin, sarı benekli eşek arılarının, külhanlarda yuva kurmuş hamam böceklerinin, 'me-me-meee' diye anasını arayan körpe kuzuların, koyun, keçi, oğlak, it, deve, inek, öküz, camız, at, kadana ve katırların, Dicle nehrindeki "şebbot", "sirink", kefal balıklarının ve de nihayet Müslüman, Hıristiyan, Cehü mezarlarında sonsuzluk uykusuna yatmış tüm ölülerin kulaklarına gelip çınladığında gün öğlen oldu.

Diyarbakır surları zangır zangır titrerken, Diyarbakır surları, bedenleri o gün ilk defa yeryüzünde utanç denen bir şeyin var olduğuna tanık oldular.

Peki, sayıları giderek artan, kocalarını çoktan mezara yollayan şu dul kadınlara da ne oluyordu? Bunların hiç mi işleri güçleri yoktu? Neden hepsi bir ağızdan koro halinde tutturmuş veryansın ediyorlardı:

"Ölsın! Gebersın o Namo!"

"Gözleri kor, dili lal, kulağları sağır olsın işşallah!"

Babalar, kız babaları, evlenecek çağda kızı olanlar, ellerine geçirdikleri paslı kör bıçakları, satır, balta, keser ve hançerleri kızlarının karşısına geçip bilerken, bir yandan da "meğezallah, eger ki o Namo benim kızım olaydı..." diye yüksek sesle gözdağı veriyorlardı:

"Allahvekil bu piçağla keserdım!"

"Bu satorla oni parça parça ederdım!"

"Bu ğhençerle delük deşük ederdım!"

"Bu baltayla boynını kökinden koparırdım!"

"Bu çakuyla gözlerıni oyardım valla!"

Tüm bu "valla billa"lardan sonra öğlen, ardından ikindi ve nihayet akşam oldu. Sonra tekrar öğlen ve akşam derken günleri haftalar, aylar kovaladı. Bu beklenmedik kıyamet haberi, bu aniden bastıran sel, sağnak, deprem ve utanç tufanının yankısı tüm Diyarbakır "küçe"lerinde, kahvelerde, dükkanlarda, hamam kurnalarının etrafında, külhanlarda, erkek, kadın, genç, ihtiyar, çoluk çocuğun ağzında adıyla sanıyla meşhur Çermik sakızına dönüştü:

"O, orospi!"

"O, kaltağ!"

O kaltak, diğer adıyla Namo, gece yarısı evinden kaçıp gönlünü kaptırdığı fırıncı Hüso'nun oğlu Mısto'nun koynuna girdiğinde henüz onaltı yaşındaydı. İsminin dillerden düşmeyeceğini, adının bir efsaneye dönüşeceğini bilmiyordu. Ayrıca bilmediği, düşünemediği de, herkesin, konu komşu, tanıdık, yabancı, Ermeni, Kürt, Asori, Cehü, Keldani, Pırot, Türk, Müslüman, Gâvur, Kızılbaş, Fılle, Dacik, Dürzi, Yezidi, Zaza ve cümlesinin, hep birlikte kendisi için bir türkü yakacağıydı:

"Hançepek'i su basti
Şeftali çiçek açti
Kıbrağ Yakup'ın kızi
Gece yarisi kaçti."

Namo'nun babası kuyumcu Yakup'un adı artık "kıbrağ"a çıkmış, yani pezevenk olmuştu. Artık bu felaketle, bu utançla yaşayamazdı. Zaten yaşamadı da. Kısa zamanda öte tarafı boyladı. Onun için, üzüntüsünden, kahrından "zantari oldi" diyorlardı. "Zantari oldi" ve öldü!

Namo'nun anası ve kardeşleri onaltı yaşındaki bu kaltağı defterlerinden sildiler, daha doğrusu kazıdılar, defterin o kara sayfasını, o utanç sayfasını yırtıp attılar. Böyle bir evladın, böyle bir kızkardeşin mevcudiyetini, varlığını dahi unuttular, inkar ettiler. Kalplerindeki Namo'yu canlı canlı götürüp Diyarbakır Süryani Mezarlığı'na gömdüler. Namo bir yandan kalplerden silinip diri diri toprağa gömülürken, diğer taraftan Fırıncı Hüso gelinini çarşafa bürüdü, adını Nayma koydu ve imam nikahı kıyarak oğlu Mısto ile evlendirdi.

Veee, o günden sonra, yani dünyanın artık hep tersine döndüğü o günden itibaren, Nayma, siyah çarşafının altında, alnındaki kara lekesini yüzündeki peçeyle sıkı sıkı örtmeye çalıştı...

"MALEZ"

Bizim oralarda, Diyarbakır'da, doğa yasaları, Fransa, Çin, Hindistan, Portekiz veya Yeni Gine'dekinden farklı değildi. Aksine, aynısıydı.

Demem şu ki, babam, "Allah'ın emridir" diyerek anamla evlendiğinde, benim doğmam, dünyaya gelmem zorunluydu. Başka bir seçeneğim, yapabileceğim başka bir şey yoktu. Benim doğmamı arzu edenlere, beni dünyaya getirmek isteyenlere, benim için yaldızlı davetiye çıkaranlara, özetle 'gel!' diyenlere, nasıl olur da, 'hayır, ben gelmek istemiyorum' derdim? Diyebilir miydim? Bana yakışır mıydı? Hadi bir an için tüm ahlak kurallarını, nezaket kaidelerini, örf ve adetleri, saygı ve terbiyeyi bir kenara bırakıp 'gelmek istemiyorum' diye diretseydim, beni adam yerine koyup da dinleyen birileri çıkar mıydı? Çıksa bile babam onları dinler miydi? Babamı tanımadığınız için pek tabii ki ondaki gâvur inadını bilemezdiniz. Zaten bilseydiniz, onun tüm ilkbahar, yaz, sonbahar ve de özellikle uzun ve soğuk kış gecelerinde beni görebilmek için nasıl bir özlemle yanıp tutuştuğunu ve bu yüzden anamı yatakta nasıl perişan ettiğini bilirdiniz!

Ben doğa yasalarının ne ilk, ne de son ürünüydüm. Esasen bu yasaların zorunlu bir meyvesiydim. Doğrusunu söylemek gerekirse, 'meyve' de değil, gerçek bir 'esir'dim. Çünkü benim 'ben' oluşum, varlığım veya var olmayışım, benim hiç te özgür olmayan irademin dışında belirleniyordu. Tamamen beni ilgilendiren ve benim için hayat memat meselesi olan bir konuda adam yerine konmuyor, fikrim, düşüncem sorulmadan, gıyabımda kararlar alınıyorduysa, ben, ancak bir esir, bir köle olabilirdim. Evet, kelimenin tam anlamıyla, dört dörtlük, su katılmamış bir köleydim ben. Üstelik, hakkımdaki hüküm doğa yasalarınca, öte tarafta verilmiş, ben mevzuat gereği bu tarafa nakledilmiştim.

Şu nereden başlayıp nerede biteceği, başı kıçı belli olmayan insanlık tarihinde, kimilerinin bir zamanlar bizim bakır sinilerimize, kimilerinin daha sonra yuvarlak bir topa benzettiği, ama dipsiz bir kavanoz olduğu artık kesinlik kazanan dünyamızda, acaba kaç kişi doğduğu günü anımsar, veya, anımsamaz da, hatırlardı?! Henüz yeni doğmuş bir bebeğin, dünyaya henüz ayak basmamış bir veledin, hatta hatta geldiği yerin, yurdun dahi ne olduğunu bilmeyen bir zıpçıktının, ilk gününü hatırlayabilmesi mümkün müydü? Böyle bir şey olabilir miydi?

Hayır!

Ama ben hatırlıyordum! Hem de bugünkü gibi. Her şey ayan beyan açıkta ve bir sinema şeridi gibi gözlerimin önündeydi.

1938 yılının son ayının, son haftasının, son cumartesi günüydü. Ebem, yaşlı kocakarı Kure Mama, kan ter içinde, beni anamın karnından zorla dışarı çektikten sonra elindeki kör ve paslı makasla göbeğimi 'hıırtt' diye kesmiş ve etrafındakilere şöyle seslenmişti:

"Duydığh duymadığh demeyın! Hepızın gözi aydın olsun! Kabağ kafali bi enük doğdı!"

O gün dışarda lapa lapa kar yağarken, içerde odun sobasının hamama çevirdiği küçük bir odada, Kure Mama'nın kıçıma indirdiği şaplakla kendime gelmiş, dünyaya gelmemek için çabalayıp diretmekte ne denli haklı olduğumu hemen anlamıştım. Evet ben bir esir, bir köleydim ve gelir gelmez de işkenceye tabi tutuluyor, daha ilk andan itibaren horlanıp tokatlanıyordum. Üstelik kıçıma şamar indirilmesi gururuma dokunuyordu. Kure Mama denen bu kadın kim oluyordu da durup dururken, sorgusuz sualsiz 'pat' diye tokadı basıyordu? Ne hakla ve hangi yetkiyle? Bu yaşlı bunağın istediği, benimle alıp veremediği neydi? Ben onun babasının şamar oğlanı mıydım? Evet, esir, köle olmasına köleydim ama, dünyaya geldiğim şu ilk anda herhangi bir suç işlediğimi de hatırlamıyordum. Yoksa hiç beklemediğim halde, kendi dünyamdan, kurnamın içinden beni apar topar çekip çıkardıklarında, farkında olmadan bir kabahat, bir suç mu işlemiştim? Eğer öyleyse, kabahatim, suçum, hatta günahım neydi? Neden, bu Kure Mama denen yaşlı bunak, titrek elleriyle ayak bileklerimden sıkıca kavramış, beni başaşağı sallayıp duruyordu? Burada, bu diyarlarda insanı böyle başaşağı sarkıtarak mı karşılıyorlardı? Şu kadın daha ne kadar kıçımı tokatlayıp duracaktı? Bundan için için gizli bir zevk mi alıyordu? Bu kadın, ebe kılığına girmiş bir sadist, işkenceci bir ruh hastası olmasındı? Odanın orta yerinde, bunca adamın içinde namusumu beş paralık ederek, böyle cıs cıbıldak, böyle anadan doğma, böyle üryan, sirk maymunu gibi beni bacaklarımdan tutarak sallayıp duran, tokatlayan bu kadının normal biri olması düşünülebilir miydi? Bu kadar horlanmaya, bu kadar itilip kakılmaya dayanılır mıydı? Biraz daha sabredip, dişimi sıkarak beklemem mi gerekirdi? İyi de, ağzımda sıkacak bir tek dişim yokken bunu nasıl yapabilirdim? Sokakta, elde taşınan horozlar gibi, böyle baş aşağı daha ne kadar sabredecektim? Üstelik kan beynime fırlamış, sinirimden kaskatı kesilmiş, yediğim şaplaklardan kıçım morarıp davul gibi şişmişken, buna nasıl isyan etmezdim? Öyleyse bağırmalı, var gücümle bağırmalı, esaret zincirlerini kırıp haykırmalı ve bu insanlara, bu kendini bilmezlere derslerini vermeliydim. Kendi dilimde aklıma gelen ilk sunturlu küfrü, şu beni tokatlayan kadının yüzüne ben de bir tokat gibi yapıştırmalıydım. Veee, dünyaya geldiğime geleceğime daha ilk günden beni pişman eden bu acımasız yaratıklara, yedi göbek önceki ata-

larına varıncaya kadar, 'tarihteki ilk küfür' diye adıma tescilli ci-
yaklamamla kalayı basmaz mıydım!

"İngaaaa...!"

Ben avazım çıktığı kadar 'ingaaa' diye kalaylayıp küfür yağ-
dırırken, onların birbirlerine dönerek, birbirlerini kucaklayarak sevinç
çığlıkları atmalarına ne demeli?

"Gözız aydin! Gözız bi kere daha aydin!"

"Allaha şükrolsın! En nihayeti ağladi!"

"Bağırmiyacağ, ağlamiyacağ diye ödım kopti!"

"Ne zaman ki mosmor kesıldi, çocığ elden gidi dedım!"

"Çoğh şükır!"

"Gözlerın aydin, Hanım!"

"Hanım, lao, gözlerın aydin!"

"Koşın kızlaaar koşın! Babasına müjdeyi verın!"

Ben ilk küfrü basınca, deminden beri kıçımda kebap pişiren, ebe
denen bu kadının sinirlenip beni daha çok tokatlayacağını beklerken,
aksine şaplak faslına son vereceğini, herkesin kucaklaşıp birbirini kut-
layacağını doğrusu rüyamda görsem inanmazdım! Hatta "acep rüya
göriyem?" diye kendime çimdik atar, yanılıp yanılmadığımı anlamaya
çalışırdım. Ama hayır! Rüya aleminde değildim. Etrafımda dönen do-
lapların tümü de gerçekti. Ben bu gerçekleri gördükçe şaşırıp kal-
mıştım. Dilim "essahtan" lal olmuştu!

Evet, çevremdeki her şey, ama her şey gerçekti. Kerpiç duvarda
asılı idare lambası; toprak damı taşıyan tavanda yan yana dizili sekiz
yorgun direk; taş avluya açılan iki küçük pencere; kimisi çiriş, kimisi
un bulamacı ve gazeteyle sıvanmış çatlak camlar; eski bir vesikalık re-
simden büyütülüp duvara asılmış, fesinin ve bıyığının altından gülüp
gülmemekte kararsız, kim bilir hangi devlet memurunun eski harflerle
attığı imza yüzüne taşmış, tahta çerçeveli fotoğraf adam; duvardaki
oyukta iki pirinç kül tablası, yanında bakır su tası; kapı eşiğinde ağzı
tülbentli su testisi, yanıbaşında kimisi ters dönmüş, yan yatmış ye-
meniler, 'cızlavet' lastik ayakkabılar, mesler, şoşonlar, gürgen na-
lınlar; yerde serili hasır, kilim, içi kıtık dolu sedir minderleri, sedir bo-
yunca yan yana uzanan sırt yastıkları, onların üzerinde el emeği, göz
nuru ve onaltı numara tığla işlenmiş kuş figürlü danteller; köşede soba

tahtası, tahtanın yanmaması için sonradan üzerine gerilen teneke parçası, tenekenin üstünde silik 'tam yağlı Edirne peyniri' yazısı; üç ayaklı eski sac soba, sobanın üstünde kaynar su dolu kalaylı bakır tencere, yanında mangal, "carut", maşa, "egiş"; kenet yerleri hamurlu bezlerle sarmalanıp pencere camından avluya çıkarılan soba boruları, pencereden dama doğru kıvrılan dirsekten "damcı yapan" isli damlacıkların yere damlamaması için tam altına asılan küçük zeytinyağı tenekesi; evin gururu ve onuru ceviz çeyiz sandığı ve paslı kilidi, sandığın üstünde duvara dayalı kahve tepsisinin içinden gülerek bakan, kıvırcık saçlı, mim dudaklı, 1930'ların dünya güzelinin resmi; yan yana dizili kiminin kulpu kırık tekleme tükleme kahve fincanları; parmaklıkları oymalı, içi yeni yastıklarla süslü bir tahta beşik... Evet, hepsi de canlı ve gerçektiler.

Etrafımda dolanıp duran nenelerim, Saro ve Senem, diğer komşu kadınları, yani Kure Mama'nın yardımcıları, asistanları, Verto Baco, Topal Tüme, Pıruş Baco, papazımızı temsilen durmadan dua eden karısı tombul Erezkin Baco, yüzü sıcakta her zamankinden daha al al olan Almast Baco, odada başkaca yer olmadığı için avluda, mutfakta bekleşip duran, arada bir odanın kapısını aralayarak içerden haber almaya, olup biteni merakla öğrenmeye çalışan diğerleri, zaman zaman da içerdekilerle nöbetleşe yer değiştiren Kure Mama'nın tüm yardımcıları, hepsi gerçektiler ve gerçek bir uğraş veriyorlardı.

"Gözın aydın, kız!"

"Gözın aydın, Hıno!"

"Kurtıldın!"

Kim, kimden kurtuluyordu? Bu 'gözün aydın'lar ne demekti? Etrafımdaki bu yaşlı kadınlar ne dolap çeviriyorlardı? Tokat, şaplak faslından sonra odanın ortasında, bakır leğenin içinde, başımdan aşağı dökülen bu kaynar sular yeni bir işkencenin başlangıcı mıydı? Niçin beni ite kaka yıkayıp duruyorlardı? Ben daha az önce kendi dünyamda, kendi kurnamın içinde ılık suyla banyomu yaparken, birdenbire neden böyle haşlanıp duruyordum? Tüm bu acımasız işkencecilere küfür etmeden, onlara veryansın etmeden rahatlayabilir miydim!

"İngaaa...!"

Küfrediyordum ama, küfürlerimi pek takan da yoktu. Kulaklarını tıkamış, bildiklerini okuyorlardı. Şimdi de sabun dedikleri dörtköşe, taş gibi bir kalıpla beni yıkarken sivri köşelerini böğrüme bıçak gibi saplıyorlardı. Köpüklerin içinde Kure Mama'nın elinden kayıp "teşt"in içine düştüğümde, hemen asistanlardan birinin pençesi beni çekip dışarı alıyordu. Başımdan aşağı boca edilen suyla gözlerimi yakan köpüklerden kurtulup tam kendime gelmek üzereyken bu kez de beni bir sürü bezlere sarıp sarmalıyor, kocaman bir "kerbize"yle, çengelli iğneyle tutturarak elimi ayağımı cendereye sokuyorlardı. Bu, galiba zincire vurulmanın değişik bir yöntemiydi. Elim kolum, belim budum bağlanarak, başıma da bir kukuleta geçirildikten sonra, beşiğin içinde sırtüstü yatırılıyordum. Elimi, kolumu, bacaklarımı hareket ettiremediğim için, kaçıp kurtulmanın mümkün olamayacağını hissettikçe endişeye kapılıyordum.

"Kurtıldın!"

Birileri kurtulmuştu, bu kesindi. İyi de ben nasıl kurtulacak, elimi kolumu nasıl özgürce sallayacaktım? Sadece yüzümü açıkta bırakan bu bezlerden, bu engizisyon belasından kurtulabilecek miydim? Bunu yalnız başıma, etrafımda bunca gardiyan dolanıp dururken nasıl becerecektim? Beşik denilen bu tahta parmaklıklı hapishaneye neden tıkılmıştım? Her biri bileğim kalınlığındaki bu parmaklıkları kırabilecek güç bende var mıydı? Olsa bile elim kolum böyle bağlıyken bunu denemem mümkün müydü? Hayır! Gerekli her şeyi düşünmüş, kaçma yollarını tamamiyle tıkamış, buna fırsat vermemek için kesin önlemler almışlardı.

Uzandığım yerden bulanık da olsa bir şeyler görüyordum. Burası benim dünyamdan bayağı farklıydı. Gözüme diken gibi batan ışıktan o kadar çok rahatsız oluyordum ki, gözlerimi hiç açmıyordum. Tabii gözlerimi açmadığım için de, benim hep uyuduğumu, hatta gözlerimin de görmediğini zannediyorlardı. Oysa ben, gözlerimi açmadan da çevremdeki olayları izliyordum. En küçük bir sesi, bir çıtırtıyı dahi kaçırmıyor, ne olduğunu anlamaya çalışıyordum. Işığın dışında en çok rahatsız olduğum bir başka şey de, bu yaşlı kocakarıların, bu çenesi düşüklerin durmadan vır vır etmeleriydi. Sinirleniyor, sonunda tepkimi gösteriyordum.

"İngaaa!!!!"

Benim yeni gün yüzü gören, döktürdükçe daha da hoşuma giden küfürlerimi onların anlamadığını, hatta ayrı diller konuştuğumuzu hissediyordum. Evet, aynı dilleri konuşmuyorduk. Belki de bu nedenle, ben, 'istemediğimi niçin görmüyorsunuz, aaa' derken, onlar, 'iyiliğinizi nasıl görmem, aaa' diye anlıyorlardı!

Yatağımda kımıldamadan etrafımı izlemeye çalışırken, yavaş yavaş bir köşede kendi kaderimle başbaşa bırakıldığımı ve herkesin kendi işine döndüğünü görüyordum. Dışardaki "baco"ların şimdi tümü odaya doluşmuştu. Soluk almakta zorlanıyordum. Ama bu onların pek umurunda değildi. İlgi giderek yanıbaşımda uzanıp yatan kadına yöneliyordu. Bana ancak arada bir göz atarak ne yaptığımı merak ediyorlardı.

Beni yıkadıkları leğeni kaldıran kadınlar, şimdi de yeni bir törenin hazırlığındaydılar. Anladığım, hissettiğim kadarıyla bu bir törenden çok, bir şölen hazırlığıydı. Yerdeki kilimin üstüne kocaman bir bakır sini koyduktan sonra tüm "baco"lar sininin etrafında bağdaş kurup çepeçevre oturuyorlardı. Az sonra Topal Tüme kulplarından yakaladığı büyük bir tencereyle kapıdan içeri aksayarak giriyor, doğruca odanın ortasındaki siniye yöneliyordu. Buğular saçan tencereyi sininin ortasına koyar koymaz, tüm "baco"ların tahta kaşıklarla neredeyse içine düşecekmiş gibi tencereye saldırmaları beni şaşırtıyor, iştahla kaşıkladıkları şeyin ne olduğunu da merak ediyordum. Kadınlar bir yandan kaşıklıyor, bir yandan da hep bir ağızdan konuşup gülüşüyorlardı. Kulağımı kabartıp ne konuştuklarını, neden güldüklerini anlamaya çalışıyordum ama, kaşık gürültüleri ve kahkaha tufanı içinde pek bir şey kavrayamıyordum. Yedikleri şeyin, nefis, enfes bir şey olduğu kesindi. Çünkü salyaları sular seller gibi akıyordu. Kaşık seslerine yenik düşen tencerenin dibi göründüğünde, ben şölen bitti sanırken kapı aralanıyor, bu kez de Rozin Baco, elinde bir tencereyle içeri giriyor, boşalan tencerenin yerine dolusunu koyuyordu. Hep aynı şeyi yediklerinden emindim. Çünkü arada bir yarım yamalak da olsa şu lafları duyabiliyordum:

"Malez de çoğh lezzetli olmış!"

"Valla, malez de malez olmış ha!"

"Malezın yaği da, pekmezi de tam eyarında!"

"Yeyın, yeyın!"

Yiyorlardı. Belli ki "malez" denen bir şeyi kaşıklayıp duruyorlardı. İyi, hoş da, niye beni düşünen, merak eden, "aç misan, sen de istersen?" diye soran, oralı olan yoktu? Üçüncü tencerenin de dibine geldiklerinde ben de sabrımın sonuna gelmiştim. Yanımdaki yatakta yatan kadının da bir şeyler yediği yoktu. O da sessizce uzanmış onlara bakıyor, zaman zaman da gözlerinin ucuyla beni süzüp gülümsüyordu. Ben, bu kadından çok, şu "malez" denen şeyi merak ediyordum. Bunun nedeni beni giderek rahatsız eden karnımın guruldamaları olabilir miydi? Neden boğazımdan aşağı bir şeylerin gitmesi gerektiğini hissetmek gibi tuhaf bir duygu içindeydim? Bunu, kendime nedense daha yakın hissettiğim şu yanımdaki kadına sorup öğrenebilir miydim? Bu karın guruldamaları neyin nesiydi? Yoksa midem bu esarete içten içe baş mı kaldırıyordu? Neden ikide bir yutkunuyordum?

Kimsenin ne yaptığıma, ne düşündüğüme önem vermediğini, beni adam yerine koymadığını gördükçe, artık her şeyi kendi bileğimin gücüyle, kendi çabamla halletmekten başka çare kalmadığını seziyordum. Bu oyuna kendi kurallarımı dayatmalıydım! Artık bu insanlarla kıran kırana bir güreşe tutuşmaktan, gerekirse dişe diş dövüşmekten başka çarem yoktu. Öyleyse savunmayı bırakıp saldırıya geçmeliydim. Yüzsüzlükse yüzsüzlük, vurdumduymazlıksa vurdumduymazlık! Her yola başvurmalı, kendimi kanıtlamalıydım. Esir doğmuş olabilirdim, ama esir kalmayacaktım!

"Maleeez!!!"

Avazım çıktığı kadar bağırıyor, haykırıyordum. Ama kimsenin kulak astığı, aldırış ettiği yoktu. Onlar kendi alemlerinde tıkınmalarına devam ediyorlardı. Yanımdaki kadın ise sanki durumumu anlamaya çalışıyor, gözlerini açarak beni izliyor, ama dudaklarındaki gülümsemeyle yetiniyordu.

Oysa ben, bu gülümsemeler hoşuma gitse de, başka şeylere ihtiyaç duyuyordum. Gerçi 'isteyenin bir yüzü kara, vermeyenin iki yüzü' gibi deyimlerden pek haberim yoktu ama, yine de istemeliydim. Onların keyfini beklemeden, ben canım çektiğinde istemeliydim. Sonra, neden onların keyfini bekleyecektim? Ben kendi isteğimle mi ta öte taraflardan kalkıp buralara gelmiş, kendi keyfimle mi bunca eziyete katlanmıştım? 'Sabreden derviş muradına ermiş' gibi laflar kanımca boş, bomboş şeylerdi. Onlar sabredip bekliyorlar mıydı? Hayır! Gözleri doymadığı gibi, mideleri de doymuyordu. Tencerenin biri giderken, diğeri geliyordu.

"Maleeez!!!"

Duymuyorlardı. Aslında duydukları halde duymamazlığa veriyor, pişkinliğe vuruyor, en azından öyle görünüyorlardı. Ama onlara, onların sağır kulaklarına sesimi duyurmalıydım. Beni bu kararımdan kimsenin vazgeçiremeyeceğini kanıtlamalıydım! Evet, yola çıkmıştım ve bu yoldan dönmeye hiç niyetli değildim. Karnımın gurultusu neredeyse gök gürlemelerine dönüşmüştü. Başkaları seslerini nasıl duyururlardı, bilemiyorum. Ama ben kararlıydım. Kolay kolay pes etmeyecek, sabrımı taşıran bu insanlara, dipsiz kavanozlarının kaç köşe, kaç bucak olduğunu gösterecektim. Benim için artık ölmek vardı ama, dönmek asla! Öyleyse, inatla üstlerine üstlerine gitmeliydim:

"Maleeez!!!"

Nihayet doydular. Boşalan son tencerenin yerine bir başkası gelmediğine göre belli ki doydular. Görünürde herkes halinden memnundu. Karnı doyan insanların mutluluğu yüzüne mi yansırdı? Şu anda, yüzümdeki ifadeden benim aç olduğum anlaşılır mıydı? Belki anlaşılırdı ama, yüzüme bakan pek yoktu. Deminden beri etrafımda cirit atanlar, neredeyse varlığımı dahi unutmuşlardı. Oysa az önce, beni dünyalarına getirmek için topyekün seferber olmuş, elleri ayakları birbirine dolaşmış, ne yapacaklarını şaşırmışlardı. Üstelik Kure Mama denen şu saçları kınalı kadın tüm tecrübelerini, tüm yeteneklerini sergileyerek beni doğurtmuş, bir de etrafındakilere müjdeler yağdırmıştı. Bir şeyi elde edip kavuştuktan sonra hep böyle mi davranıyorlardı? Yoksa elde ettikleri her şey, değerini, cazibesini mi yitiriyordu? Öyleyse sahip olmak için neden yırtınıp duruyorlardı? Bu ne biçim iş, ne menem bir gidişti!

Ortada tencere, tas kalmadığına, yaşlı kadınların da, eşikteki yemenilerini, meslerini, şoşonlarını, lastik ayakkabılarını ayaklarına çekerek birer ikişer yola koyulduklarına bakılırsa, benim deminden beri boğazımı paralayarak bağırmamın, anlaşılan, hiçbir faydası olmamıştı.

Peki, başka ne yapmalıydım? Daha doğrusu ne yapmam gerektiğini gerçekten biliyor muydum? Evet, serinkanlılıkla düşünmeliydim. Düşünmeli miydim? Midem kazınıp durduğuna, karnım guruldadığına göre, ben midem sayesinde mi düşünüyordum? Her şey onun etrafında mı dönüyordu? Her şeyin başı, her şeyin sonu o muydu? Yaşamak için, tek ve ilk şart, dolu bir mide miydi? Varsa yoksa, her şey onun için mi vardı? Her yol, eninde sonunda, döne dolaşa ona mı çıkardı? Yaşam denen olayın özü bu muydu? Ben şimdi farkında olmadan bu özün mü peşindeydim?

"Maleeezzzz!!!"
"Maleeezzzz!!!"
"Maleeezzzz!!!"

Duydular! Nihayet sesimi duyurabildim! Başıma toplandılar. Beni ablukaya alıp etrafımda çember oluşturdular. Her kafadan bir ses çıkıyordu. Niçin bağırdığımı tartışıyorlardı. Konuşmalardan anladığım kadarıyla, kimilerine göre ben 'laf olsun, torba dolsun' diye bağırıyormuşum; kimilerine göre ise zevkimden!

Doğduğum ilk günü hatırlıyor muydum!

Etrafımı çepeçevre saran bu insanlarla daha ilk günden kavgaya başlayışımı hatırlamaz mıydım! Bencil, duygusuz bu insanlarla nasıl başa çıkacağımın hesaplarını yaptığım o ilk günü unutmam mümkün müydü! Ben onların diliyle, dilim döndüğünce "maleeezzz!" diye gırtlak paralarken, "kefinden bağırı" demelerini nasıl nefretle karşılamazdım! İçlerinden hiç olmazsa birinin "hele şu mehsuma da bi loğhma, bi 'kırtik' verağh, belki cani malez çeki" diyeceğini sabırsızlıkla beklerken, hayal kırıklığına uğradığım o ilk günü, doğduğuma doğacağıma pişman olduğum, ama elimden başkaca bir şey de gelmediği için doğmak zorunda kaldığım o ilk günü nasıl hatırlamazdım!

Herkesin tasını tarağını toplayıp, "yolçi yolında gerek" diyerek gitmeye hazırlandığı şu sırada, beni kendi dünyamdan paslı makasıyla 'hıırt' diye göbeğimi keserek ayıran şu kocakarı, şu yaşlı Kure Mama nereye gidiyor, acaba nereye sıvışıyordu? Beni kendi dünyamdan zorla çekip çıkarmanın hesabını vermeden, çarıklarını ayağına takıp nasıl gidebilirdi? Bu iş bu kadar basit miydi? Karnını iyice doyurduktan sonra, elini kolunu sallaya sallaya gitmeye kalkıştığında, ona dönüp "sahan uğırlar olsun, yolın açuğ olsın, ama sen elıni kohni sallarken, bızım elımız ayağımız bele hepıs mi kalacağ?" diye sormaz mıydım? "Lahevlü bela" çekerek yüzüme bön bön bakışını, ardından, "ula seni başımıza bela mi aldığh, eşegın oğli!" deyişini, benimse sinirimden kaskatı kesilişimi unutur muydum!

Akıntıya karşı kürek çektiğimi seziyordum. Bu evde başlayan esaretime katlanmaktan başka bir çarem yoktu. Yine de kararlıydım. Bu esaret zincirine boyun eğmeyecek, kavgamı sürdürecektim.

Tüm tepinmelerime karşın, bir kaşık "malez" yiyemeyince, yol yakınken, ele güne karşı daha fazla rezil olmadan, asıl dünyama dönmeye karar vermiştim. Bunun için, yapılması gereken ilk iş, herkesle ilişkilerimi kesip atmaktı. Öyle de yaptım. Susmuş, bir köşeye çekilmiş, elimi ayağımı bu dünyadan çekmiştim. Hiç ses çıkarmıyor, sadece uzandığım yatağımda, hapishanemde, kısık kısık nefes alıp veriyor, sessiz sedasız uyuyordum. Uzun süre hareketsiz yatışımdan endişelenen yanımdaki kadın, ikide bir beni dürtükleyip duruyor, belli ki seslenip bir şeyler söylememi bekliyordu. Benim hiç oralı olmadığımı görünce de telaşlanıyor, etrafındakilerle gizli gizli bir şeyler fısıldaşıyordu.

Huzursuzdular. Kararsızdılar. Hani deminki gibi "maleeezzz!!!" diye bağırsam, eminim sevineceklerdi. Hayır, asla bağırmayacaktım! Gerçi yaşlı kadınların çoğu gitmişti ama baş oyuncu Kure Mama, henüz ortalarda dolanıyor, etrafındakilere bir şeyler söylenerek emirler yağdırıyordu. Sonra kocakarılardan biri yanıma yaklaştı ve beni kucakladığı gibi, hapishanemden çıkararak deminden beri yanımda yatan kadının kucağına verdi. Ben "ne oli?" demeye fırsat bulmadan, kadının avucunda tuttuğu kocaman bir şeyi zorla ağzıma sokmaya çalıştığını gördüm. İlk anda hiçbir anlam veremedim. Beni boğmak mı istiyordu? Zorlukla, güç bela nefes alırken tüm direnmelerime karşın, onunla başa çıkamayacağımı anlamıştım. Şimdi de zorla ağzıma tıkadıkları şeyle yeniden işkence faslına geçmişlerdi. Yapılacak tek şey, karşı saldırıya geçerek onları caydırmaktı. Evet, nefes almamı zorlaştıran bu et yığınından kurtulmalıydım! İyi de, ne yapmalıydım? Bu meretten nasıl kurtulacaktım? Sinirimden, kızgınlığımdan, yapacak hiçbir şey bulamadığımdan, çaresizlik içinde, nasıl olduğunu anlayamadan, et parçasına saldırıp emmeye başladım. Emmeye başladım derken, ben emmenin de ne olduğunu bilmiyordum. Emdikçe, damaklarımla sıkıştırdıkça kadın huysuzlanıyordu. Bu nasıl başlayıp nerede biteceği belli olmayan işkence, benim saldırımla tuhaf bir oyuna, giderek hoşuma gitmeye başlayan bir oyuna dönüştü. Et parçasına öyle bir yapışmıştım ki, etrafımdaki tüm kadınlar ayırmaya kalksalar, kesinlikle beceremezlerdi.

Veee, hiç beklemediğim, hiç hayal etmediğim, garip bir şey oldu. Ağzıma ılık bir şeyler akmaya başladı. Neydi bu? Neydi bu ağzıma akan hoş şey? Emdikçe daha da çoğalıp ağzıma dolan bu sıvıyı yutuyordum. Yutamadıklarım da ağzımın kenarından dışarı akıp gidiyordu. Tuhaf bir sıvıydı. Ağzımda ilk hissettiğim an değişik bir haz, bir neşe, bir sevinç, bir mutluluk gelip içime yerleşmişti. Hatta o kadar çabuk ve ani olmuştu ki, ben bile şaşırmıştım! Mutluluğumun nedeni, belki de kurtulmayı istediğim bu sevimsiz et parçasının, bana, hiç beklemediğim bir anda, güzel, hoş bir şey vermesiydi. Evet, hoşuma gidiyordu. Hiçbir şey vermeden, başkalarından bir şeyler alıyordum! Kim veriyordu? Niçin veriyordu? Kimler ve niçinler artık hiç de önemli değildi. Ben emiyordum, içiyordum, içtikçe daha da fazlasını istiyordum. Önemli olan sonuçtu ve bu sonuçtan memnundum. Mutluluğuma, neşeme diyecek yoktu. Etrafımdakiler de sevinçliydi. Mutluluğumu paylaşacaklarını beklemediğim için, doğrusu şaşırmıştım. Ben hoşlandığım bir şeyi yudumlayıp içerken, bu insanlar neden benimle birlikte, belki de daha çok seviniyorlardı? Oysa ben, demin onlar "malez" atıştırırken, bırakın mutlu olmayı, isyan bile etmiştim.

Keyfime diyecek yoktu. İçtikçe içiyor, doymak bilmiyordum. Hiç beklemediğim bir anda, ağzımdan et topağını çeken kadın, bu kez bir başkasını tıkıyordu. Başkaydı, çünkü o ılık sıvıdan akıtmıyordu. Yine sinirleniyor, yine tam bu insanlara karşı giderek içimde iyi duygular beslemeye başlamışken, oyun bozanlık etmelerine kızıp küfrediyordum.

"İngaaa...!"

Neden gül gibi geçinmeye başlamışken böyle davranıyorlardı? Kızgınlığımdan çeneme veriyor, var gücümle yeniden emmeye başlıyordum. Kadın bu davranışımdan hoşnut gibiydi ama arada beni dürtüyor, canının yandığını anlatmaya çalışıyordu. Terden sırılsıklamdım. Emmekten çenem de yorulmuş, mecalim kalmamıştı. Artık bıkkınlık gelen bu işten tam caymak üzereyken, ağzıma yine o ılık sıvı dolmaya başladı. Keyifle emmeyi sürdürürken et parçası nedense tekrar çekiliyordu. Ben biraz bekledikten sonra, hoşuma giden bu oyun yarıda kesildiği için yine veryansın ediyor, deminkinden de canhıraş bir sesle bağırıyordum:

"Gaaattt!!!"

Bu kez hiç ummadıkları bir anda "süüüttt!!!" diye Ermenice bağırmama şaşırıyorlardı. Oysa bundan daha doğal ne olabilirdi ki! Önceki dünyamda da konuşulan dil buydu! Aslında şaşırması gereken biri varsa o da bendim. Asıl onlar bu dili nasıl öğrenmişlerdi? Her ne kadar onların Ermenicesi ile benim konuştuğum arasında bayağı farklılıklar var idiyse de bu o kadar önemli değildi. Ben gerçek ve kadim Ermeniceyi kullanırken, onlar yenisiyle ve yöre şivesiyle konuşuyorlardı. Belki de bu yüzden zaman zaman anlaşmakta zorlanıyorduk. Mesela 'süt' istediğimi anlıyorlardı ama, "malez" diye seslendiğimde ya anlamıyorlardı, ya da anlamamazlığa vuruyorlardı.

Ben sütümü içip aklımı başıma toparlayınca, giderek nerede olduğumu, hapishane bellediğim yerin aslında bu yoksul evde benim için hazırlanmış özel bir beşik olduğunu, bundan böyle buralarda kalıp yerleşeceğimi, burada geçici birisi, hele hele bir misafir kesinlikle olmadığımı, evin bir bireyi olduğumu yavaş yavaş öğreniyordum.

Tüm yaşlı kadınlar gibi, Kure Mama da pılını pırtını toplayıp gidince, evde yanıbaşımda uzanıp yatan kadın, fırsat buldukça beni kucağına alıyor, emziriyor, bir taraftan da kulağıma günlük derslerimi fısıldıyordu.

Sonunda Kure Mama'yı mahcup edecek kadar kısa bir zamanda epeyce şey öğrendim. Başımı bal kabağına veya yamru yumru karpuza benzeterek benimle alay eden, hatta bu nedenle "ehmakın biri" olacağım kanısına varan, dahası benim adam olamayacağımı önüne gelene söyleyip duran Kure Mama, yanıldığını er veya geç anlayacaktı! Çünkü ben kısa zamanda, yanımda yatan kadının anam olduğunu, akşamları eve döndüğünde beni, gözlerinin içi gülerek hayran

hayran seyreden bıyıklı, kısa boylu adamın babam olduğunu öğrenmiştim. Dahası, anama Hıno, babama Sıko dendiğini, Diyarbakır'da doğduğumu, mahallemizin adının Hançepek olduğunu, Ermeni olduğumuzu, Ermenilere buralarda genelde gâvur dendiği için mahallemizin Gâvur Mahallesi diye de adlandırıldığını, ama benim şimdilik bunları bir kenara bırakmam gerektiğini, önemli olanın uslu uslu sütümü, "gat"ımı içerek bir an önce büyüyüp sağlıklı bir çocuk olmam gerektiğini bir çırpıda su gibi ezberlemiş, anamı bile hayretler içinde bırakmıştım!

Ben her geçen gün yeni bir şeyler öğrendikçe, Kure Mama'nın hakkımda yaydığı dedikodulara kulağımı daha da çok tıkıyor, aksine daha fazla öğrenmek için çırpınıyordum. İlk anda 'ağlamayan çocuğa meme verilmez'i bellemiştim. Bunun için de acıktığımda yeri göğü inleten sesimle, avazım çıktığınca ağlıyor ve anamın memesini anında ağzımda buluyordum. Emdikçe büyüyor, gelişiyor, serpiliyordum. Henüz hiçbir sorumluluğum yoktu. Benden istenen sadece sütümü içerek sessizce yatıp uyumam, suya sabuna dokunmadan sırt üstü yatmamdı. Ben de öyle yapıyor, yan gelip yatıyor, bir de günde birkaç kez altımı ıslatıp, kirletiyordum. Bunun için de kimse şikayetçi değildi. Ben bezlerimi doldurdukça, hemen altımı değiştiriyorlar, bezleri yıkayıp sobanın yanıbaşına bayrak gibi asarak kurumaya bırakıyorlardı. Bu bez yıkama konusunda, Saro nenemle, Senem nenem sobanın yanındaki leğenin başında sanki yarışa girişiyorlardı. Biri bezleri yıkıyor, diğeri odanın ortasında gerili ipe asıyordu. Sütü çok kaçırdığım zamanlarda, odanın içi asılan bayraklarla panayır yerine dönüyordu.

Zaman zaman sanki hiç doymayacakmışım gibi bir duyguya kapıldığımda, anamın memesinde bir damla "gat" bırakmayacak kadar emiyor, emdikçe de kadının canını çıkarıyordum. Böyle aç gözlülük ettiğimde, sütü bir türlü hazmedemiyor, karnım davul gibi şişiyordu. Sancıdan kıvranıyor ve ağlamaya başlıyordum. Anam beni kucağına alıyor, sırtımı sıvazlayarak gazlarımın çıkmasına yardım ederken kulağıma eğilip, "açgözlülüğ etmağ çoğh eyiptır" diyerek beni yavaş yavaş terbiye etmeye çalışıyordu. Ama tüm bu uyarılarına karşın, bir türlü doymak bilmiyordum. Anamın tombul memesi giderek, Saro ve

Senem neneleriminki gibi cılızlaşınca, utancımdan ağzımı memesinden ayırıyor, yakasını bırakıyordum.

Çok ağladığım, susmadığım günün birinde, anam beni bir kenara çekip yine kulağıma şöyle diyordu: "Unutmiyasan ha! Konuşmağ gümüşse, susmağ altundır!" Ben o günlerde doğrusu altın ve gümüşün ne olduğunu, neye yaradığını pek bilmiyordum. Anamın bu sözlerle ne demek istediğini de anlamıyordum ama, yine de ağlayıp durdukça onun canını sıktığımı, sabrını taşırmak üzere olduğumu hissediyor, ayıp olmasın diye zırt pırt ağlamamaya özen gösteriyordum.

Evet, doğmak zorunda olduğum için doğmuştum. Günlerim tekdüze geçiyordu. Günlük programım, günlük ders çizelgem hemen hemen hep aynıydı. Gece yarısı veya sabahın köründe uyanış, ağlayış, süt emme, sonra uyku, işeme, pisleme. Ardından hemen yine ağlama, temizlik, "gat" içme, uyuma, sonra sırf ağlamak için ağlama, ağlama, ağlama.

Aslında bu tekdüze yaşam giderek sıkıcı olmaya başlamıştı. Bundan kurtulmak, değişik bir şeyler yapmak istiyordum ama, değişik nasıl ve ne tür bir yaşam olduğundan da pek haberdar değildim. Ancak gerek anamın ve gerekse onu ziyarete gelen kadınların konuşmalarından sezinlediğim kadarıyla bu dünyada anamın süt veren, süt emziren memesinin dışında yenecek, içilecek başka şeyler de vardı. Ben nedense bunlardan yoksun kalıyor veya yoksun bırakılıyordum. Yaşıtlarımın bir kısmı süt faslını 'demode' bularak değişik bir şey içiyorlardı. Ayrıca analarının memelerini saatlerce emerek uğraşacaklarına, çok daha kolayca, adına 'biberon' denen, boşalmış bir rakı şişesinin ağzına takılan emzikten yudumluyorlardı. Neydi bu biberon denen şey? Ben bu bayan biberonu neden tanımıyordum? Tanımam sakıncalı mıydı? Dahası, bu biberonların içi, süt yerine mama dedikleri başka şeylerle dolduruluyordu. Mama dedikleri şey mutlaka çok leziz olmalıydı. Bütün bunları duyuyor, sayıklıyordum ama, bir türlü tadamıyordum. Ayrıca mamaların da türlü lezzette ve türlü tatta olanları vardı. Adları da değişikti. Kiminin adı Eledon, kiminin Esema, kimininki de Gigoz'du. Ben Fransa'da doğmadığım için mi bu Eledon'ları, Esema'ları, Gigoz'ları içemiyordum? Peki onların analarının sütü yok muydu? Yoksa onlar ana değil de, dana mıydılar? Onların sütleri yeterince akmazken, benim köylü anamın sütü neden inek memesi gibi bereketli, bizim Dicle nehri gibi çağıl çağıldı? Peki benim şehir çocukları gibi, Fransız oğlanları gibi, değişik şeyleri içmeye hiç mi hakkım yoktu? Köylü doğmak elimde miydi? Bunun sorumlusu ben miydim? Orta yerde düpedüz, göz göre göre bir haksızlık vardı. Neden daha doğar doğmaz ben bazı şeylerden yoksun bırakılıyordum? Bunu kimler ve ne hakla engelliyorlardı? Eşitlik, 'egalite' denen bir kavram bizim buralara hiç uğramamış mıydı? Ben pılımı pırtımı toparlayıp Fransa'ya, Japonya'ya mı göçmeli, oralara mı gitmeliydim? Elim kolum böyle bağlı bu işi nasıl becerebilirdim? Sahi diğer çocuklar da benim gibi eli kolu bağlı mıydılar?

Anam, benim zaman zaman bu tür düşüncelere daldığımı, aklımı bu tür şeylere yorarak kurallara, yasalara karşı gelme eğilimi taşıdığımı, davranışlarımdan hissetmeye başlamıştı. Çünkü ben çok sevdiğim sütümü artık içmemekte direniyor, huysuzluk edip ağlıyordum. Süt içmemekteki kararlılığımı görenler, benim de artık süt dışında bir şeyler istediğimi, arzu ettiğimi, sözün kısası kazan kaldırdığımı sanırım anladılar. Kendi aralarında konuşurken anamın sütünün artık yeterli olmadığını, karnım doymadığı için de ağlayıp huysuzluk ettiğimi, sütün dışında da bir şeyler yiyip içebileceğimi, zaten artık kocaman bir adam olduğumdan, bundan böyle sadece memeye saldırmamın ayıp olacağını, yol yakınken, ahlakım daha fazla bozulmadan, bu süt emme faslına son vererek, değişik yiyeceklerle karnımın doyurulması gerektiği konusunda kendi aralarında da anlaştılar. Bu konuda ilk öneri de Kure Mama'dan geldi. Saro ve Senem nenelerimin de onaylamasıyla süt dışında değişik bir şeyi ilk kez tattım.

Burada, Tanrı huzurunda hep gerçekleri konuştuğumuza göre, şunu da belirtmeliyim ki, ben süt dışında bir şeyler beklerken, hep aklımın bir köşesine yerleştirdiğim, merak edip sayıkladığım o mamaları bekliyordum. Ama yanılmışım. Ben biberonla mama içeceğimi hayal edip rüya görürken, zorla sokulan bir kaşıkla ağzımın tatsız, tuzsuz, saçma sapan bir şeyle dolduğunu hissettim. Yutkunmak yerine, kusmayı tercih ettim. Bence bu Gigoz, Esema ve Eledon olamazdı. Benimle alay mı ediyorlardı? Bu saçma şeye, sütü, bin kez tercih ederdim. Ağzıma tıktıkları şey yutulur cinsten değildi. Peki neydi? Ne olduğunu, anamın ve Kure Mama'nın ve nenelerimin konuşmalarından anladım:

"Malezi sevmedi nedır?"

"Maleze birez daha şeker katın!"

"Malezi şekerle degıl, pekmezle sulandırın!"

"Hecet yoğh! Karni ac olınca mecbur yiyecağ!"

"He!"

"Malezden eyısıni bulacağ?"

Ben Dimyat'a pirince giderken, evdeki bulgurdan olmuştum. Bu kesindi. Kulaklarıma Kure Mama'nın son sözü gelip yerleşiyor, oradan da beynime çekiç gibi iniyordu:

"Mecbur yiyecağ!"

Ben yememekte direnirken onlar da bildiklerini okuyorlar, "malez"i zorla yediriyorlardı. Ben yutmamak için çırpınıp duruyordum ama çabalarım boşa gidiyordu. Aramızda korkunç bir savaş başlamıştı. Ben kusuyordum, onlar dudaklarımın kenarından kustuklarımı kaşıkla sıvazlayarak, toparlayarak, gerisin geri ağzıma zorla sokuyorlardı. Ben feryat figan bağırdıkça, 'ingaaaa!' diye küfrettikçe üstüme üstüme geliyorlardı. Yenilmeye mahkûmdum. Bunca kadınla elim kolum bağlı nasıl başa çıkardım? Günahımın cezasını çekiyordum. Bu günahın sorumlusu da bendim. Evet bendim! Daha doğar doğmaz, daha ilk gün, onlar "malez"i kaşıklarken, ben "maleeez" diye yaygarayı basmamış mıydım? Şimdi de onlar ağzımın payını veriyorlardı:

"Al sahan malez!"

"Malez mi istidın? Al ye, istediğin keder ye!"

Başa çıkamıyordum, kan ter içinde kalmıştım ama istemediğim halde, "malez"i de zorla tatmıştım.

Fransa'da, Amerika'da, İngiltere'de, Çin'de, Mısır'da da "malez" var mıydı? Yoksa yalnız Malezya'da mı vardı? Ordaki çocuklar da benim gibi böyle "malez"le mi büyütülüyordu? Yoksa bu "malez" denen meret yalnız bu Ermeni gâvurlarına has bir yiyecek miydi? Gâvur doğmakla durup dururken kendime gâvur eziyeti mi etmiştim? Bilemiyordum.

Kure Mama'nın, biraz da nenelerimin diretmeleri sonunda, tam "malez"e alışmış, kaderime boyun eğmişken, giderek değişik şeylerle karşılaşıp duruyordum. Bu arada olumlu gelişmeler de olmuyordu dersem yalan konuşmuş olurum. Çaresizlikten, ister istemez, uslu uslu "malez"i, yani un bulamacını yemeye başlayınca, ödül olarak artık elimi kolumu bağlamaz, beni sarıp sarmalayıp hapsetmez oldular. Yavaş yavaş yattığım yerden, beşiğimden çıkarıp yerde gezinmem için, odanın ortasındaki şiltenin, kilimin üstüne de bırakıyorlardı. Ben hapishaneden kaçan mahkumlar, kodes kaçkınları gibi şaşkın, odanın içinde, hasırların üstünde yuvarlanıp duruyor, emekliyordum. Emekleyişimin de tamamen bana ait olan, değişik bir tarzı olduğunu yine etrafımdakilerin konuşmalarından anlıyordum:

"Herkeş yüzi koyın emekli, bu da hepi göt üsti, geri geri gidi!"

Odanın ortasındaki soba kaldırılmış, böylece gezinme alanım bayağı genişletilmişti. Ben bu değişikliğin benim için yapıldığını zannediyordum. Oysa yanılmıştım. Bunun benimle hiç ilgili olmadığını, dışarda gölgede kırk derece sıcaklık varken, Diyarbakır'ın meşhur cehennemi yazı yaşanırken içerde soba yakılamayacağını öğrendiğim zamanlar doğrusu hem şaşırmış, hem de salaklığıma gülmüştüm. Aklımı başıma getirecek şeyler yiyerek daha çabuk büyümem gerektiği artık kesinlik kazanmıştı. Ben böylece "malez" çağını geçip yavaş yavaş, pişen yemeklerin "işkene"sine, yani sularına banılan ekmekle gelişip serpilme faslına geçiyordum. Mutluydum, çünkü kuru fasulyenin suyuna bandığı ekmeği ağzıma tıkmaya çalışan Saro nenemin yardımseverliğine mazhar oluyordum. Mutluydum, çünkü ayran çorbasına batırdığı bayat ekmeği, önce kendi çiğneyip yumuşattıktan sonra ağzıma sokan Senem nenemin merhamet duygularını paylaşıyordum. Anam elime bir parçacık ekmek tutuşturarak, beni taş avlumuzda kendi halimde gezinmeye bıraktığında, ekmeğimi arkın içindeki çamurlu sulara banarak yiyebilme özgürlüğüne sahiptim. Babamın elime tutuşturduğu bir dilim kan kırmızısı karpuzu ısırarak, sularını üstüme başıma akıtarak, siyah iri çekirdeklerini yutmanın keyfini sürdürüyordum. Acı biberli, sumaklı, sarmısaklı, "meftune"nin suyunu tahta kaşıkla bana ilk kez içiren Halo dedemin, acıdan kıvranıp, gözlerim yaşarınca kahkahaya ve sevinç gözyaşlarına boğulmasına neden olduğum için mutluluktan uçuyordum! Açlık denen şeyi bu kerpiç evimizde, bu toprak damımızın altında hiç yaşamıyordum. Doyuyordum.

Mutluydum. Evimizde, kilerimizde, ekmek kazanımızda ekmeğimiz hiç eksik değildi.

Mutluydum, çok mutluydum, çünkü zaman zaman ekmeğimizin yanında katığımızı da buluyorduk. Anam, elime bir parça ekmek tutuşturduğunda, yanında başka şeyler de veriyordu. Önce ekmek, sonra bir parça otlu beyaz peynir; önce ekmek, sonra yanında bir avuç ceviz içi; önce ekmek, yanında bir tas yoğurt; ekmek ve soğan; ekmek ve üzüm; ekmekle pestil; ekmekle kavun; ekmeğin üstüne sürülmüş Karacadağ tereyağı; ekmek ve bir kaşık bal; ekmek ve tuz; ekmek ve biber; ve nihayet ekmek ve yanında bir tas kuyu suyu...

Şimdi yılların ardında kalan, mutlu olduğum o günleri, toprak damımızın kerpiç duvarlarını, sac sobamızın ılık sıcaklığını, kulpu kırık fincanlarımızı, su testimizi, kahve tepsimizdeki donuk gülüşlü 1930'ların dünya güzelini, kuş figürleriyle süslü kıtık dolu sedir yastıklarını, emekleyerek dolaştığım taş avlumuzu, hepsi de birer toprak yığını olan nenelerimi, Halo dedemi, babam Sıko'yu, Dicle'nin suyu gibi çağıl çağıl sütüyle memesini ağzımdan eksik etmeyen anam Hıno'yu, Diyarbakır'da, Hançepek'te, Gâvur Mahallesi'nde, Kure Mama'nın paslı makasıyla başlayan, 'ingaaa!!!', "gaaattt!!!", "maleeez!!!" sesleri arasında yitirdiğim çocukluğumu arıyorum.

BOZAN'LARA GİTTİK

Akşam yemeğimizi yedikten sonra, daha doğrusu ekmeğimizi yiyince bir güzel doyduk. Biz 'yemek yemek' yerine 'ekmek yemek' deriz. Çünkü biz ekmek yeriz. En çok ekmek yiyerek doyarız. Zaten ekmek yemeden doyduğumuzu bilmeyiz. O akşam da "boçov şorba" dediğimiz kuyruklu çorbamızla ekmeğimizi yiyince, yani kuyruklu çorbamızın içine ekmeğimizi doğrayıp afiyetle kaşıkladıktan sonra, tıkabasa doyduk. Tanrı'mıza şükranlarımızı sunduk.

Bizim oralarda, o yörelerde, Diyarbakır'da kışlık yiyeceklerin çoğu yazdan hazırlanırdı. Yazları pek çok bulunan, bolca yetiştirilen sebzelerin hemen hepsinden kurutularak kış için saklanırdı. Bunların başında da patlıcan gelirdi. Dolmalık tabir ettiğimiz minik patlıcanları, küfeler içinde eve getirdikten sonra, ilk işimiz hemen konu komşuya haber salmaktı. Bu haber salma işi de genellikle, hatta her zaman evin çocuklarına verildiğinden biz çocuklar sokaklara dökülür, görevimizi yerine getirirdik:

"İncik Baco, dolmalığ patlican aldığh. Anam selam söledi, dedi ki, gidın İncik Baco'ya söleyin, dolma oyacağıni alsın, bıze dolma oymağa gelsın!"

"Enne Baco, dolma oyacağıni al, bıze gel! Dolmalığ patlican aldığh!"

"Lüslüs Baco, dolmalığ patlican almişığh, ğheberınız olsın!"

Böylece biz çocukların haber ulaştırdığı tüm "baco"lar, demirci çıraklarının, fırsat buldukça, ustalarından gizli, balya çemberlerinden yaptıkları ve özellikle tatil günlerinde, yani pazarları, cep harçlıklarını çıkarmak için Diyarbakır "küçe"lerinde çocuksu tiz sesleriyle "dolma oyacağiii, dolma oyacağiii", "dolma oyacaği isteyeeen, dolma oyacaği alaaan?", "dolma oyacağiii, dolma oyacağiii" diye bağırarak sattıkları bu oyacaklardan satın alıp, günü geldiğinde de kullanmak üzere mutfaklarının bir köşesinde sakladıkları, bu paslı sac parçalarını kaptıkları gibi komşu evlerine dolma oymaya koşarlardı. Bu koşmacada kimse kolay kolay yan çizmez, kimse kolay kolay:

"Begün işım var."

"Begün dişım ağri."

gibi bahanelerle gitmemezlik edemezdi. Çünkü dolma oyma, günü gününe yapılmalıydı. İşin ertelenmesi sözkonusu olamazdı. Taze patlıcanları bir iki gün beklettikten sonra oymaya kalkıştığınızda hem iyi oyulmaz, hem de zor oyulurdu. Onun için de patlıcan henüz diri iken, daha yumuşamadan işe koyulmak gerekirdi. Herkes çağrıya uyar, işten kaçmak için bahaneler uydurmak kimsenin aklından geçmezdi. Her yalanın yarın aynen karşılığı da olacağından, tüm "baco"lar bu patlıcan oyma işine ister istemez koşarlardı.

Yüzlerce patlıcan önce saplarından kesilir, sonra tüm "baco"lar avluda kocaman bir bakır "teşt"in etrafında bağdaş kurarak oturur, ellerindeki dolma oyacaklarıyla minik patlıcanları oymaya başlarlardı. Oyulan, içi boşaltılan patlıcanlar, yorgan iğnesiyle iplere dizilir, kurutulmak üzere güneşe karşı bir yere veya damlara gerilen çamaşır iplerinden asılırdı. Patlıcan sapları da ayrıca iplere dizilir, onlar da kurutulmaya bırakılırdı. Patlıcanın yeşil sapları güneşte kuruyunca kararır, büzüşür, tıpkı fare kuyruğunu andırırdı. Soğuk kış günlerinde, harlı odun sobamızın karşısında bağdaş kurup yer sofrasına oturduğumuzda, sinideki mercimek çorbasının buğusuyla birlikte odaya taze patlıcan kokusu yayılırdı. Çorbaya da ayrı bir lezzet veren, kaynatırken içine attığımız bu kurutulmuş patlıcan sapları veya kuyruklarıydı.

O akşam da kuyruklu çorbamızı tıka basa içtikten sonra babam anama dönerek aniden verdiği kararı bildirdi:

"Hıno, hade kağhın, toplanın, Bozan'lara mısafırlığa gidağh."

Babamın kararına anamın vereceği cevap zaten hazırdı.

"Eyi olır, gidağh..."

Anam hemen, aceleyle ortalığı toparlamaya koyuldu. İlk önce su tasını sininin üstüne koydu. Daha sonra kaşıkları boşalmış tencerenin içine attı, üzerindekilerle beraber bakır siniyi tuttuğu gibi avludaki mutfağa götürdü. Dönüşünde yerde serili duran sofra bezini topladı, kapının eşiğinde avluya silkeledi, evi toparlamış oldu.

Bizim oralarda, bizim diyarlarda, masa donatmak, masa toplamak gibi uzun boylu uğraşlarımız yoktu. Bizim masalarımızın yani sinilerimizin üstünde su bardakları, yemek tabakları, sürahi, çatallar, bıçaklar, peçeteler, tuzluk, biberlik, kürdan, şamdan, mum, çiçek gibi ıvır zıvırlar bulunmazdı. Ailede kaç kişinin eli kaşık tutuyorsa o kadar kaşık bulunurdu. De ki sekiz kişilik bir ailede altı kişinin eli kaşık tutuyorsa o halde altı tane kaşık. Kaşık tutamayan bebelere kaşık tutanlar yedirirdi. Mercimek çorbası mı yenecek, sininin tam ortasında çorba tenceresi dururdu. Ayran aşı içilecekse ortaya bir tencere ayran aşı konurdu. Tanrı o gün yarma, dövme, keşkek, veya bulgur pilavı ihsan eylemişse, o zaman da büyük bir bakır sahanın içine Tanrı'nın bu beti bereketi doldurulurdu. Yanına da yine kocaman bir tas dolusu sulandırılmış pekmez konuldu mu sofra hazır demekti. Şimdi bir parça ekmek ısırdıktan sonra, sırayı şaşırmadan usluca ve usulca kaşığı bir pilava daldırın, bir pekmeze, bir kaşık ondan, sonra diğerinden...

Hep beraber aynı kaptan yer, aynı tastan içerdik. Hep beraber yenen yemeğin tuzlusu, tuzsuzu olur muydu? İnsan dediğin "çortan caş", yani 'kuru ayran çorbası' içtiğinde, yahut da nohut, fasulye, mercimek yediğinde, çatala, bıçağa, tuzluğa, kürdana gerek duyar mıydı? Böyle bir saçmalık olur muydu? Hayır! Olmazdı, olamazdı! De ki, kış bastırmış, her taraf tipi "zozan". İçerde, odun ateşinin ısıttığı sıcak odada anan, baban, deden, nenen, kardeş ve bacılarınla sininin başına bağdaş kuruyorsun ve önündeki kocaman tavada erimiş, göz göz patlayan sıcak yağın içinden nefis kavurma sana bakıyorsa, boğazına kadar tok bile olsan kavurmaya dalmaz mısın? Hele bir de dışarda kar bacayı sarmış, damdaki loğ taşını bile örtmüşse, tipiden göz gözü görmüyorsa, rüzgar bacadan üfür üfür girip pencereden çıkıp gitmek için boşuna vınlayıp duruyorsa, daha yeni yeni lambayı gazyağıyla doldurmuş, eski fitilini değiştirmişsen, odun sobası nar gibi kızarmış, çıtırtılarıyla tüm odayı türkülere boğmuşsa, o tadına doyum olmayan kavurmanın üstünde anan bir de kümesten getirdiği taze yumurtalarla güneşler açtırmışsa, hele hele bir baş kuru soğanı da yumruklayıp kırmışsan, artık bıçağa, çatala, gerek var mı? Alır koparırsın ekmeği, saldırırsın tavaya!

Kavurmanın kızgın yağı, güneşi, bütün kaleleri ekmek karşısında birer birer yenik düşünce, anan sofrayı toparlayıp kabını yıkamaya, kız kardeşin sobaya bir odun atmaya, deden oturduğu yerde uyuklamaya, nenen yırtık bir çorabı yamamaya koyulduysa, sen deli divane çocuk, dişlerinin arasında kalan bir "kırtik" kavurmayı çıkarmak için ne diye dolanıp kürdan arıyorsun? Eşikteki çalı süpürgesi ne güne duruyor? Kopar bir çöp parçası, olsun bitsin. Süpürge sapından daha güzel kürdan mı olur!

Anam ortalığı toparladığına göre artık Bozan'lara gitmek için yola koyulabilirdik.

Bizler, eş dost, akraba veya komşularımıza kafamıza estiği an, istediğimiz zaman kalkar gideriz. Önceden haber vererek, izin isteyerek, var olmayan telefonlarımızla arayıp, "yarın ağşam size mısafırlığa gelecağığ, işız vardır? Evdesız? Ğhestesız? Kefız yerındedır? Bızı kabul edisız?" gibi saçma sapan sorularla vakit geçirmeyiz! Kalkar, yola düşer gideriz. Hepsi o kadar. Bizler birilerine misafirliğe gittiğimizde belki bazıları da bize geliyor olabilirler. Bizi evde bulamadıklarında, komşumuz Tumas'lara giderler. Tumas'lar da evde yoksa, o zaman onların kapı komşusu yemenci Kör Ero'lar da kör gözleriyle gece vakti yola çıkmadılar ya! Körler için gece gündüz fark etmez mi..! Olsun! Bir kere yola çıkmış, bir kere yola koyulmuşsanız, gidecek yer, çalacak kapı mı bulamayacaktınız şu koskoca Hançepek'te? Şu ölüsü boklu Gâvur Mahallesi'ndeki tüm Ermeniler, tüm Fılleler hepsi de bir gecede yer yarılıp içine girmediler ya!

İlk önüne çıkan kapının tokmağını, "şakşako"sunu var gücünle çalarsın. Açılan kapıdan içeri girerken de bir taraftan söylenirsin: "Kevo, badanaci Kevo, bız eslında terzi Pilo'lara oturmağa gettığh ama, gel gör ki evde degıldiler. Onlari bulamadığh, sıze geldığh!"

Hançepek'te, Gâvur Mahallesi'nde yaşıyorsanız, adınız da Sıko, Nono, Bedo, Haço, Dikro, Gırbo ve diğerleri ise, Kevo'nun kapıyı açtıktan sonra size vereceği cevabın aynen şöyle olacağından hiç şüpheniz olmasın:

"Başımızın üstünde yerız var. Gırın! İçeri gelın! Dişarısı da feleket savuğ ha!"

O gece Bozan'lara misafirliğe gittiğimizde ben elimde "kımbo"muzu taşıyordum. "Kımbo" dediğim, şu tenekeden yapılmış, huniye benzeyen, içine gazyağı doldurulan, fitili ancak mum kadar ışık saçan, ışığından çok isiyle ünlü, kendini lambaların şahı zanneden, zavallı, kendini bilmez bir cihan harikası! Peki "kımbo" hiç ışık vermez miydi? Vermez olur muydu! Tabii ki bizleri sonsuz ışığa boğardı, gökyüzünde mehtap varken! Bizim oralarda, geceleri sokaklarımız zifiri karanlıktı. Göz gözü görmezdi. Sokaklarımız, İsa'nın çarmıha gerildiği ve tüm Hıristiyanların yas tutup ağladığı, adına 'zifiri karanlık gece' dedikleri geceler gibiydi. Kör ve karanlık bir kuyudan farksızdı. Elektrik-melektrik hak getire! Sadece şehrin kesişen iki ana caddesinde, Gazi ve İnönü caddelerinde bir iki direk ve onların da tepesinde yanıp yanmamakta kararsız, feri sönmüş ölü gözünden farksız birkaç ampul sallanırdı. Sokaklar ancak kışın, her tarafın karlarla örtüldüğü mehtaplı beyaz gecelerde, Aydedemizin yukardan bakıp ta halimize acıdığı zamanlarda ışıktan geçilmez olurdu!

"Kımbo"muzun ışığı altında, babam, anam, kardeşlerim, dedem, nenem, kafile halinde usul usul yol almaya devam ediyorduk. Önce hemen bitişiğimizdeki kapı komşumuz Agop Dayı'ların evinin önünden geçtik. Agop Dayı'nın ben yaşlarında güzel bir kızı vardı. Adı da kendisi gibi Ağgik, yani Güzel. Ben Ağgik'e vurgundum, ona aşıktım. Mecnun'un aşkı, benimkinin yanında, solda sıfır kalırdı. Kerem'in ise lafı bile olmazdı. Ancak bir gün anasıyla birlikte Çardaklı Hamamı'ndan çıkarken Güzel'imin pancara dönmüş, pancar kesilmiş yüzünü, yeni yıkandığı halde hiç parlamayan uzun örgülü saçlarını gördüğümde, aşkım anında yanıp bitip kül olmuş, yellerle savrulmuş ve de Urfa Kapısı surlarının dışındaki Ermeni Mezarlığı'na gömülmüştü. O benim için artık ne Aslı, ne Leyla, ne de Güzel'di. Ama aşksız da yapamazdım! Hemen vurulacak birilerini aradım durdum. Buldum da. Bu kez de duvarcı ustası Bedo Dayı'nın kızı Kıh Silva'ya aşık oldum. Kıh Silva'ya olan aşkımı, arkadaşlarıma anlattığımda hepsinin ağzı açıkta kalmış, lal olup şaşırmışlardı. Hatta benim adımı Tahir, Silva'nınkini de Zühre koymuşlardı. Ama ben Tahir ismini beğenmediğimden bu aşkımı da hemen defterimden silip atmıştım. Ben her gün, her mevsim, yaz kış demeden, aşık olmadan edemiyordum. On yaşlarında aşık olmayıp da ne yapacaktım? O yaşlarda aşık olmaktan başka bir şey gelmiyordu ki elimden! Ama ben bu aşık olmak huyumdan çok memnundum. Hatta bu huyumu o kadar çok seviyordum ki, aşık olacak birilerini bulamadığım zamanlarda kendi huyuma aşık oluyordum!

Kar hafif hafif atıştırmaya başlarken, kalaycı Dikran'ların, diğer adıyla kalaycı Cemo'ların kapısını geçtik, Erşelus Baco'nun, Keldani asıllı ve eczacı kalfası olan kocası Circis'in, hastalandığımızda, verdiği penisilin iğnelerini kalçalarımıza sokup canımızı bolca yaktığı için, adını İğneci Erşelus taktığımız kadının, gece gündüz suları durmadan sokağa boşu boşuna akıp giden "kastal"ının yanından saptık, papaz Der Arsen'in evine geldik. Der Arsen'in sokağa açılan demir "cağ"lı minik penceresinden solgun bir ışık yüzümüze güldü. Der Arsen bu saatte İncil mi okuyordu acaba? Bunu ancak Tanrı bilebilirdi. Bizim de Tanrı'nın ve Der Arsen'in işine karışacak halimiz olmadığına göre, bu tür şeylere bulaşmanın başlıbaşına günah olduğunu da bildiğimizden, burnumuzu olur olmaz işlere sokmadan yolumuza devam ettik. Taburumuz karanlıkta el yordamıyla ilerliyordu.

Ben "kımbo"mla bazen kafilenin önünde, bazen de arkasında görevimi sürdürüyordum. Bir taraftan küçük kızkardeşimin elini tutarken zaman zaman da nenemin "zıbun"unun "peş"ine, yani entarisinin eteğine yapışıyordum. Karlara bata çıka, bir ön tarafta yürüyordum, bir geride, sonda kalanlara ulaşıyordum. Ben ışıktım! Ben yüce Tanrı'nın bizlere bahşettiği güneştim! Kervanımız ağır aksak ama güvenle yoluna devam ediyordu. Kervanın başını da hep babam çekiyordu. Palancı Kaspar'ların evine geldiğimizde yolu yarılamıştık. "Çögen"ine, bastonuna dayanarak yürüyen Halo dedem ve yola çıktığından beri tıknefes yürüdüğü için, çıktığına çıkacağına pişman olan Senem nenemin biraz dinlenmeleri için mola vermişken, Palancı Kaspar'lardan bir iki satır söz etmeyelim mi? Yok, bu kez Palancı Kaspar'ın kızı Viktorya'ya, kısaca Vekto'ya aşık olduğumu söyleyecek değilim! Haşa! O zaten benden birkaç yaş büyük olduğu için çoktan evlenmiş, çoluk çocuğa karışmış, evini barkını kurmuş, ununu elemiş, eleğini duvara asmıştı. Palancı Kaspar'ın en büyük oğlu Şükrü de, Balıkçılarbaşı'ndaki dörtyol ağzında Circis'in kalfalık yaptığı Cihan Eczane'sinin hemen arkasında, Melik Ahmet Caddesi'ne yakın ve genellikle Ermeni taş yontu ustalarının uğrak yeri olduğu için Taşçılar Kahvesi denen kahvenin bitişiğindeki Palancılar Çarşısı'nda, babasının dükkanında, kimbilir hangi uyuz eşek veya hangi huysuz katır için palan dikerken, nasılsa çuvaldızı elinden kaçırmış ve sol gözüne sokmuştu. İspirtocu Sarkis'in karısı yaşlı Teğrer Markırid'in, çeşitli bitkileri kurutup toz haline getirdiği sarı ve kahverengi ilaçları da fayda etmeyip, sonuçta bir gözünü böylece tamamen kaybedince, adı hemen acımasızca körler defterine yazılmıştı. Kör Şükrü de kızların bol olduğu, 'yüz karaları'nın cirit attığı koskoca Hançepek Mahallesi'nde, bir gözü kocakarı Markırid'in tüm boyalı tozlarına, engin bilgisine ve tecrübesine rağmen kör olduysa, evde kalacak değildi ya! Zaten bir gözü kör, bir kulağı sağır, bir ayağı topal, sırtı kambur bir erkek, bizim oralarda sağlıklı dört kıza eşit olduğuna göre, o da, kısa zamanda Ermeni'den dönme Alipir'in kızı Zehra ile evlenmiş, ardı ardına sıpalarını dizmişti.

Kar giderek bastırıyordu. Halo dedem henüz yaslandığı duvarın dibinde soluklanırken, anam, kucağında sarıp sarmaladığı en küçük erkek kardeşimin çişinin geldiğini hissetti ve onu anında kucağından indirip çişe tuttu. Hemencecik yapması için de "bol, bol, bol, hade oğlım bol, bol, bol, paşşşa oğlım bol, bol, bol" deyip durmaya başladı. Sürekli ve sabırla aynı nakaratı tekrarlıyordu ama, kardeşim de karlar üzerine "bol, bol" etmeyip, alışık olduğu bakır "helüp"ü, yani oturağını istiyor ve bulamayınca da inatla "helüp, helüp" diye tutturarak ağlıyordu. Bu iş halledilmeden yola çıkılamayacağına göre, ben bu arada kapılarının önünde mıhlanıp kaldığımız Kaspar Dayı'ya döneyim bari...

Uzun boylu, yakışıklı bir adamdı dersem, doğrusu yalan konuşmuş olmam. Gerçi onun uzun boylu, yakışıklı olması, işi açısından hiç mi hiç önemli değildi. İşi eşeklerle, katırlarla, atlarla ve develerle ilgiliydi. Hiçbir at, eşek, katır veya sıpa sahibi köylü, Kürt, Zaza, yakışıklı olduğu için onun dükkanının kapısını çalmazdı. Sırf, hayvanlarına en iyi, en rahat semeri diktiğinden onun peşindeydiler. Onun semerleri dayanıklı olduğu kadar, hayvanın sırtında yara bere yapmadığı için de ünlüydü. Eşeğinin semerinden karşılıklı sarkıttığı heybelerini Dicle nehrinin kenarında yetiştirdiği iri kavun ve karpuzlarla veya boyu neredeyse bir metreyi geçen yeşil "kıtti"lerle tıkabasa doldurup yükleyen köylü, eşeğinin sırtının yaralanmayacağını, kanamayacağını bildiğinden içi rahattı; çünkü semerini semerci ustası Kaspar yapmıştı. Evet, çünkü bu gâvur oğlu gâvur, işinin ehliydi! Hani eşeklerin, atların, katırların dilinden anlasak, hep bir ağızdan anırarak ve kişneyerek söyledikleri şarkının nakaratını kesinlikle sökerdik:

"Allah senden razi olsın Kaspar Emmo, sayende sırtımız delınmedi!"

Ben Palancı Kaspar Dayı'yı birçok kereler, bizim Surp Giragos Kilisesi'nde dua ederken, bir keresinde de Hançepek'in dolup taşan kahvelerinde, sırtında çizgili pijaması, elinde yelpaze gibi açılmış iskambil kağıtları, babamla karşılıklı "nezere" oynarken görmüştüm. Ama en çok yine böyle bir kış gününün akşamında onlara misafirliğe gittiğimizde yakından tanımıştım. Babamla sedirin baş köşesinde oturup evde yapılmış şarabı aynı tastan içtiklerinde sohbetlerini dinlemiştim. Birbirlerine karşı çok saygılı olmakla beraber şakalaşmaktan, "hanek" etmekten de vazgeçemiyorlar, birbirlerinin şaka kaldırır taraflarını eşeleyip, sonra da kahkahalarla gülüşüyorlardı.

Babamın ona en çok takıldığı, isminin çokluğuydu. Asıl adı, vaftiz adı Dikran'dı. Dikran'dan sonra diğer adları gelip sıraya girmişlerdi. Bizim oralarda, o diyarlarda, Diyarbakır'da, babamın deyimiyle Birinci Harb-i Umumi'nin o karanlık günlerinde Dikran Dayı'nın asıl adını silip götürerek ikinci adı Hasan yapışmıştı alnına. Babamın Sarkis olan adı Ali'ye, dayımın Haçadur olan adı İsmail'e, halamın kocası Erzurum doğumlu Ohannes'in adı Ramazan'a, anamın Aznif olan adı Hanım'a dönüşmüştü. Neyse biz gelelim Hasan Dayı'nın diğer adlarına. Babamın ona takıldığı zaman söylediği, onun da asla kabul etmediği bir adı da Keçel-e Kaspar'dı. Saçı oldukça gür olduğu halde, bu adı ona kimin, hangi kıskanç dazlak kafalının yakıştırdığı bilinmemekle beraber, bu ad nedense çok tutmuş, ondan bahsedenlerin çoğu "hanki Hasan?" veya "hanki Dikran?" diye sorulunca onu üçüncü sıradaki bu sıfatıyla, Keçel-e Kaspar Hasan veya Keçel-e Kaspar'ların Hasan diye anarlardı. Bizim oralarda insanların adının başına genelde meslekleri de eklenirdi. Babamın adının Dişçi Ali veya Dişçi Sarkis, eniştemin adının Sobacı Ohannes veya Sobacı Ramazan, dayımın adının Demirci Haço veya Demirci İsmail oluşu gibi, onun da adı, mesleğiyle birlikte anılırdı: Çulcu Hasan veya Çulcu Kaspar'ların Hasan. Doğum yeri Piran olduğu için, son zamanlara kadar, sanki bir şube açmış gibi, yazın, mesleğini Piran'da sürdürürdü. Onun için de zaman zaman Piranlı Hasan diye anılırdı. Çok sinirli, korkunç inatçı, dediğim dedik biriydi. Nuh der peygamber demezdi. Bu yüzden meslektaşı olan abisi Mustafa ile nedeni bilinmeyen bir tartışma sonunda ölünceye kadar konuşmamaya yemin etmesi ve onu bu kararından senede hiç olmazsa iki kez bayramlarda devreye girdiği halde papaz Der Arsen bile vazgeçiremeyeceğini anlayıp, bu işin belki öteki dünyada bile halledilemeyeceğini ilan etmesinden sonra, adına bir de 'deli' sıfatı eklenmiş, Deli Hasan olmuştu. Ancak tüm Diyarbakır'da yalnızca onun kastedildiğini herkesin anladığı sonuncu adı ve geçerlisi Kirve Kürt'tü. Onun bütün adları Kirve Kürt'te yoğunlaşmış ifadesini bulurdu. Hangi nedenle ve kimin ona bu adı yakıştırdığını bilenler belki vardır ama, ben bilmiyordum. Ancak bildiğim tek şey, Kirve Kürt dediğimizde, herkes Piranlı, Keçel-e Kaspar, Çulcu, Deli Dikran, Hasan'dan bahsettiğimizi anlarlardı.

Toptan adıyla Kirve Kürt'lerin sokağından saptıktan sonra gelen ilk ev yine onun meslektaşı, çulcu Ergan Vanes'lerin eviydi. Boyu uzun olduğu için Ermenice bu manaya gelen "ergan" lakabıyla anılan Vanes Dayı'ların evini de geçip az ötedeki Surp Giragos Kilisesi'nin bulunduğu sokağa saptık. Zangoç deli Uso'nun tasını tarağını toplayarak ve şalvarının uçkurunu bağlayarak İstanbul'a göç edip kapağı Yedikule Surp Pırgiç Ermeni Hastanesi'ne temizlikçi olarak atmasıyla boşalan yerine, kilise mütevelli heyetinin kararıyla atanan usta bir taş yontucusu olan Zıfkar'ın, diğer adıyla Taşçı Mıgırdiç'in, sokağa taşan yanık "maya"sına çarptık:

"Oğıl oğıl, sen gidersen benım halım nic'olır?
Altun yüzük barmağımda tuç olur!"

Taşçı Zıfkar Dayı'nın kızı Viktorya, Süryani "puşi"ci Gevro ile evlenmiş, kızkardeşlerinin, Gâvur Mahallesi'nde bunca Ermeni dururken bir Süryani'ye gönül vermesine içerleyen diğer iki erkek kardeşi Samo ve Nışo da, bu utancı paylaşmak istemediklerinden baba evlerini terk edip biraz da artist olma hevesiyle İstanbul'a gitmişlerdi. Bütün bunları içine sindiremeyen Zıfkar Dayı kendini alkole vermişti. Onun yanık "maya"sı gelip karanlık sokakta bula bula beni buldu ve "kımbo"mu üfleyip söndürdü. İçi yangın, içi buruk yaşlı Zıfkar'ın karanlık dünyasına dönüştürdü tüm sokağı. "Kımbo"m söner sönmez, kervanın başını çeken babam arkaya doğru seslendi:

"Margos lao, yur is?"

Babamın Kürtçeyle karışık Ermenice "Margos oğlım, nerdesen?" sorusuyla, benim sönmüş "kımbo"mun o ana dek ne denli büyük bir işe yaradığını anladım, gururlandım ve karanlığa seslendim:

"Hos im."

Süleyman Nazif İlkokulu'nda isim yoklaması yapılırken, her gün yüksek sesle söylediğim 'burdayım' cevabım, mevcudiyetimin, varlığımın teyidi ve tesbitine imkan veriyordu. Şimdi de burada, bu zifiri karanlık gecede, bu kez de yerimin saptanmasına yarıyordu. Babam sesime yönelerek el yordamıyla beni bulduktan sonra yeleğinin cebinden çıkardığı 'muhtar çakmağı'nı 'şık' diye yaktı. Giderek tipiye dönüşen karda, rüzgara rağmen çakmağın daha ilk çakışta 'şık' diye yanması, ardından "kımbo"mun tekrar isli isli tütmesi, bizleri zangoç

Zıfkar Dayı'nın karanlık dünyasından kurtararak yola revan olmamızı sağlaması, belki de kilisenin sokağında bulunmamızdan, Tanrı katında fazla günahkar olmayışımızdandı. Ya da bu mucize o anda nenemin, bizleri karanlıkta bırakmaması için peygamberimizden medet umarak içinden söylediği duanın, hemen oracıkta kilisemizin tasvirlerindeki yüce İsa'nın kulaklarına gitmesiyle gerçekleşmişti.

Benim biricik gururum "kımbo"mun ışığına bizleri tekrar kavuşturan yüce Tanrı'mıza, İsa Peygamber'imize, tüm azizlere içimizden dua ettikten sonra kafilemiz emin adımlarla tekrar yola koyuldu.

Bozan'ların evi, Hançepek'in, Gâvur Mahallesi'nin sonunda, bizim Moşe, Kürtlerin Cehü, Türkçede Yahudi dediğimiz insanların yaşadığı mahallenin başındaydı. Gâvur Mahallesi ile Moşelerin mahallesinin sınırı Bozan'ların eviyle çizilirdi. Gâvurlarla Moşeler günün birinde şayet harbe tutuşup böyle bir savaşa yönelselerdi, galipler tarafından ilk fethedilecek kale kesinlikle Bozan'ların evi olurdu. Biz Ermeni çocukları ile Moşe çocukları, mahallelerimize yakın olduğu için hep Süleyman Nazif İlkokulu'nda aynı sıralarda, çoğu kez yanyana otururduk. Öğretmenlerimiz Hayri Pamukçu, 'ağzı eğri' Mehmet hoca ve Nezihe Eryılmaz'dı. Öğretmenlerimizden söz ederken şunu da söylemeden geçersem biraz ayıp, biraz da günah işlemiş olmaz mıyım?

Ben mahallemizdeki tüm kızlara aşık olduktan sonra ilkokula başladığım o yıllarda, Süleyman Nazif İlkokulu'na, daha doğrusu eski bir evden okula dönüştürülmüş, pencerelerinden Kurşunlu Camii'nin avlusu görünen o eski okuluma başladığım yıllarda, üçüncü sınıfta Nezihe Eryılmaz öğretmenime aşık olmuştum! Herkesin büyüyünce ilerde ne olacağını sorduğu bir derste tüm arkadaşlarımın "öretmenım, ben büyüyünce avukat olacağam, ben büyüyünce subay olacağam, ben büyüyünce mühendis olacağam" derken, cevap sırası bana geldiğinde "öretmenım, ben saatçi olacağam" demiş ve öğretmenimi bir hayli güldürmüşüm. Herkesin avukat, mühendis, subay, doktor, hakim, öğretmen olmayı düşlediği bir ortamda benim üstüne üstüne basarak 'saat tamircisi' olacağam dememe çok gülmüştü.

Sahi ben neden saatçi olmak istemiştim? Saatçi olarak zamanı mı durdurmayı düşlemiştim? Yoksa koluma takmayı hayal dahi edemediğim, vitrinleri süsleyen o değişik saatlerin tümüne birden sahip olma özlemini mi dile getirmiştim? Bilemiyordum. Ama, arkadaşlarımdan daha iyi bir seçim yaptığımdan emindim. Kanımca onların doktor, avukat, mühendis dedikleri şeylerin hepsi de havada şeylerdi; elle tutulur, gözle görülür yanları yoktu. Oysa saatçi dükkanı her şeyiyle ortadaydı: Yelkovan ve akreplerinin çeşitli süsleriyle yuvarlak, oval, dörtköşe, dikdörtgen saatler, metal veya deri kayışlı, rengarenk, göz alıcı...

Öğretmenlerimiz okul sıralarında bizlere tüm iyi niyetleriyle doğruyu, dürüstü, güzeli, iyiliği aşılamaya çalışadursunlar, yarınları kurtaracak genç nesiller olarak bizlere her sabah topluca 'Türküm, doğruyum, çalışkanım; yasam, küçüklerimi korumak, büyüklerimi saymak; ülküm, yükselmek ve ileri gitmektir...' dedirterek görevlerini yerine getiredursunlar, biz okul çıkışı tahta çantalarımızı bir kenara fırlatıp Moşe çocuklarıyla, Cehüllerle birbirimize kavun ve karpuz kabukları fırlatarak savaşıyorduk. Daha sonraki yıllarda savaş yeteneğimizi geliştirmiş, kavun ve karpuz kabukları bulamadığımız kış aylarında ise, bu kabukların yerine, kartopları içersine sıkıştırdığımız taşları tercih ederek, birbirimizin kafasını gözünü yarmaya başlamıştık. Bu tür oyunlarda genellikle kazanan taraf, biz gâvurlardık. Çünkü Moşeler sayıca bizden daha azdı! Sayıca bizden azdılar ama yine de zaman zaman sapanla, "çatal lastik"le, ustaca fırlattıkları bir taşın kafamızı yarıp, kaşımızı kanattığı olağandı. Biz tüm savaş kurallarını sürdürürken, 'ileriiii, geriiii' bağırarak mevzilerimizi değiştirirken başımız kırılıp kanadığında ağlayarak evin yolunu tutardık. Eve geldiğimizde anamız bizi kan revan içinde görünce teşhisini hemen, hiç gecikmeden koyar, iki tokatla ilk tedavisine başlarken diğer taraftan veryansın ederdi:

"Köpegın oğli, gene Moşelerle herbe tutuştız, degıl..?"

Biz neden harbederdik? Biz neden savaşırdık? Biz Gâvur Mahallesi'nde sayıları az da olsa bizlerle komşu yaşayan Müslüman arkadaşlarımızla birleşip, kuvvetlerimizi daha da güçlendirerek neden hep Moşelere, Cehüllere savaş ilan ederdik? Neden onları kendi sokaklarında, kendi mahallelerinde taşa tutarak evlerine girinceye kadar kovalardık? Onlar kaçıp evlerine sığındıklarında, bizler neden beş on kuruşu yanyana getirip de pazar günleri Şehir Sineması'nda seyrettiğimiz Kızılderili şef Gerenimo gibi çığlıklar atardık? Galibiyet neden bu kadar tatlıydı? Onlar hep yenilmeli, hep mağlup olup pes mi etmeliydiler? Zafer hep bizim mi olmalıydı? Evet! Biz hep kazanmalı ve onlara derslerini vermeliydik! Çünkü onlar kötü insanlardı! Çünkü onların iğneli fıçıları vardı! Çünkü onlar çocukları yakalayıp evlerindeki iğneli fıçılara atıp sallıyorlardı! Böylece öldürdükleri bu çocukların kanlarını lıkır lıkır içiyorlardı! Onun için çocuklar analarının sözlerini dinlemeli, taa uzaklardaki Yahudi Mahallesi'ne gitmemeliydiler. Uslu uslu kendi kapılarının önünde, kendi sokaklarında oynamalıydılar, analarının dizlerinin dibinde, gözlerinin önünde...

Sonra Moşeler, sınıf arkadaşlarımız, günün birinde iğneli fıçılarını dahi toparlayamadan apar topar kalkıp göç eylediler. Moşelerin mahallesi tümüyle boşaldı. Ama onların iğneli fıçıları bu kez de biz gâvurlar, biz Fıllelere miras kalmıştı. Bu kez Cehü olan bizlerdik. Hem Cehü, hem gâvur!

Biz yolumuza devam edelim! Kafilemizin yanına yaklaşıp bizleri selamlayan, ellerindeki "kımbo"larıyla bizim "kımbo"muzun ışığına güç katarak geceyi gündüze çeviren Mano Dayı'ların kafilesi, misafirliğe gidip evde bulamadıkları ayakkabı tamircisi, yani Pineci Agop'ların evinden dönüyorlardı. Şimdi de yönlerini Bezaz Entro'lara çevirmişlerdi. Entro'lar da evde yoksa komşuları nalbant Topal Istepan'ların kapısını çalmaya karar vermişlerdi. Kafileler birbirlerine Ermenice "kişer pari" diye iyi akşamlar temennisinde bulunduktan sonra yollarına koyuldular. Bizim kafile önce Büyük Ev'in bulunduğu sokağa saptı. Büyük Ev, Gâvur Mahallesi'nin en büyük eviydi. Büyük avlusu vardı. Avlunun etrafında da göz göz odalar sıralanırdı. Bu evde, evin sahibi Hancı Şükrü'den başka kimler yoktu ki! Kirve Donabet, Taşçı Mıgırdiç, demin yolda rastladığımız Manuk Dayı, Çulcu Hello ve kazancı, yemenici, demirci, sobacı, sıvacı, kalaycı, berber ve akla gelebilecek her tür meslekten insanlar... Ev sahibinin adının, mesleğiyle hiç ilgisi olmadığı halde Hancı Şükrü oluşu, bu evin han gibi büyük oluşundan, hana benzemesinden mi ileri geliyordu, bilemiyorum. Ama Hancı Şükrü evde "hevş" dediğimiz büyük avluya açılan sokak kapısının hemen ardında yanyana iki "avğhana", yani tuvalet, küçük avlunun bir köşesine de ayrıca bir tane ilave olarak yaptırmış olmasına rağmen, bunca aileye, çoluk, çocuk, ana, baba, hala, amca, dayı, dede, nene ve komşulara bu "avğhana"lar özellikle sabah saatlerinde yetmeyince, kiracıların giderek dördüncü, beşinci, altıncı "avğhana" isteklerine kulaklarını tıkamış, sabahları erkeklerin işlerine gitmeden önce Belediye meydanındaki eski bir kiliseden bozma Ulu Camii'nin tuvaletlerini kullanmalarını önererek bu konuya kesin çözüm getirmişti!

Nihayet Bozan'ların sokağına girdik. Babam kafilenin başını çekerek en önde gittiği için Bozan'ların sokak kapısının "şakşako"sunu tokmaklamaya başladı bile.

Dedem ve nenem bu "zozan"da Bozan'ların kapısına sağ salim yetiştikleri için Tanrı'ya bir kez daha şükrettiler. Babam kapıda asılı duran demir tokmağı var gücüyle indirip duruyordu. Gecenin sessizliğini bölen bu 'şak-şak'lara, uzaklardan gelen köpek havlamaları ile biraz ötedeki kerhane evlerinden sokağa dökülen ölü gramafon sesleri karışıyordu:

"Lili yar, lili yar
Sen benim olacaksın
Sararıp solacaksın
Ben hakime danıştım
Sen benim olacaksın
Lili de, lili yar."

'Lili yar'lar, babamın 'şak-şak'ları köpek havlamalarına ve de nenemin dualarına karşın içeriden hiçbir yanıt alınamayınca, taburumuz bozguna uğramadan, anamın önerisiyle iki adım ötedeki Hanım Baco'lara gitmeyi kararlaştırdı. Hanım Baco'nun kocası Şükrü Dayı da kendi işinin ehliydi. Ama onun işi ne duvarcı ustalığı, ne badanacılık, ne taş yontuculuğu, ne demircilik, ne de bakırcılıktı. O, yaz aylarında Dicle kıyısında kamıştan "hülle"sini, yani kulübesini kurar, kavun, karpuz, acur, "kıttı" yetiştirirdi. Karpuzlarının, kavunlarının iriliği dillere destandı. Yetiştirdiği her kavun veya karpuzun sadece bir tanesi bir eşek yükü ağırlığındaydı. Karpuzların bu kadar büyük, kalın kabuklu, iri çekirdekli ve leziz olmasının nedeni "boranhane"lerden özel olarak getirttiği güvercin gübresini tam kıvamında kullanmasıydı. O da bu işin ustası, bu işin piçiydi.

Babam yeni baştan kafilemizin öncülüğüne yönelince, nenem duaya, dedem de ona eşlik etmeye başladı. Bu soğuk kış gecesinde bizlerin kapı kapı dolaşmasına papazımız Der Arsen'in İncil'indeki İsa da acımış olacak ki, Bozan'ların avlusundan hiç beklenmedik bir anda bir erkek sesi gelip kulaklarımızda çınladı:

"Kimdır o? O kimdır kapiyi çalan?"

Eğer "kımbo"nun ışığı yeterli olsaydı, hepimizin gözünün birdenbire nasıl parladığı gayet iyi seçilebilirdi. Bu beklenmedik ses bize sanki yıllardan beri kaybettiğimiz, ondan ümit kestikten sonra ansızın karşımızda bulduğumuz bir sevgilinin sesi gibi sıcak ve özlem doluydu.

Bu ses, Bozan'ın sesiydi. Babam sokak kapısının dışından, sesinin en yüksek tonuyla, Bozan'ı azarlar gibi, Bozan sanki suçluymuş gibi, kapıyı açmakta geciktiği için sanki büyük bir günah işlemiş gibi seslendi:

"Bemurad! Mink le ısink, zar, ısonk merir."

Babamın Ermenice, Kürtçe karışımı cevabıyla Bozan ağzının payını almıştı! Babamın Türkçe söylersek, "Muradıza ermiyesiz! Bız de bunlar herhalde öldi dediğh" şeklindeki veciz açıklamasını, kapının ardındaki kocaman demir çengelin gürültüsü ve kapının köhne menteşelerinin geceye yayılan içli, ağlamaklı sesi izledi. Beyaz uzun donuyla, Bozan karşımızdaydı.

Bozan Dayı kapıyı açar açmaz, has köylüsü, Heredanlı olan babamın önderliğindeki bizim kafileyi karşısında görünce, akşam oturmasına, misafirliğe geldiğimizi hemen anlamış, bir adım gerileyerek, bizleri içeri buyur etmişti.

"Gelin gelin, gırın içeri! Baş göz üzerıne, başımla barabar, ğhoş geldız. Dışarısi da çoğh savuğmiş yav!"

Bozan'lar yatıp uyumuşlardı. Bozan'ın karısı Haçhatun yatakta yanyana kıvrılmış uyuyan çocuklarını dürterek uyandırdı. Odanın ortasındaki yatakları anamın da yardımıyla hemen toparladı, kaldırıp duvardaki "yükeri"ye yerleştirdi. Uyuyan çocuklar önce huysuzlanıp biraz ağladılarsa da sonunda sustular. Sönmek üzere olan sobaya iki parça odun atıldı, duvardaki idare lambasının fitili biraz daha yükseltildi.

O gece, babamla Bozan Dayı, sedirin başında yanyana bağdaş kurup sohbet ettiler. Evde hazırlanmış şarabı aynı tastan içerek dama oynadılar. Anamla Bozan'ın karısı karşılıklı oturup yün ördüler. Nenem, dedem, Bozan'ın anası Hıçe nene, sobanın karşısında ihtiyar kemiklerini ısıtarak uyukladılar.

Bizler, Bozan'ın çocuklarıyla beraber odanın ortasında kardeş kardeş, bacı kardeş oturduk, bize ikram edilen cevizleri kırdık, içini çıkardık, Eğil'den gelmiş ince pestillere sararak yedik.

Dışarda kar dizboyu iken, lapa lapa kar yağarken, "kımbo" ve idare lambasının ışığı altında pestilin içine ceviz içi koyarak hiç yediniz mi? Tadını bilir misiniz?

"SÖYLE MARGOS, NERELİSEN?"

Babamın Anısına

Çocukluğumda, daha doğrusu boyum henüz bir karışken, susadığım zamanlar, yerlerde yuvarlanarak, emekleyerek, kör topal yürüyerek, gidip anamın basma entarisinin "peş"ine, yani eteğine yapışır, var gücümle çekip çekiştirir, susadığımı anlatmaya çalışırdım. Bunu kendi icat ettiğim dilimle söylerdim.

"Bu, ba, bua!."

Anam ne söylediğimi, neyi gevelediğimi anlardı. Dilimi anama da öğretmiştim! Benim daha "bu, ba" der demez, ardından da "bua, bua, bua" diye tutturacağımı, biraz oyalandığı takdirde de, iki gözüm iki çeşme ağlayıp zırlamaya başlayacağımı, hele bir de ağlamaya başlarsam, kolay kolay susmayacağımı da çok iyi bildiğinden, hemen kalaylı bakır tasımıza su testisinden birazcık su doldurur, dudaklarıma doğru uzatır, su içmeme yardım ederdi. İşi çoksa, yani o anda "habeş"in üstünde kaynamakta olan ayran çorbasını, dibi tutup yanmasın diye devamlı karıştırması gerekiyorsa, odun ateşine koyduğu tenceredeki süt taşmak üzereyse, veya o anda hamur yoğuruyorsa, su doldurduğu tası aceleyle elime tutuşturur ve bir an için ertelediği işinin başına dönerdi. Ben bu gibi durumlarda, içi su dolu ve kafam kadar büyük tastan su içmeye çalışırken biraz da üstüme başıma döküp istemeden banyo yapardım.

Acıktığımda hiç değişmeyen yöntemlerimle anamı bulur, eteklerinden çekiştirir, ağladı ağlayacak ses tonumla, burnumu çekerek seslenirdim:

"Pe, pe, pepe, pepe!"

Anamın zekasından hiç şüphem yoktu. Onun benim dilimi ne denli çabuk söktüğünü, onun ne kadar akıllı bir kadın olduğunu daha beni doğurduğu ilk gün gözlerinden okumuş ve de anlamıştım! Benim "pepe, pepeee" dediğimde, aslında "açlıktan geberiyem" demek istediğimi hemen anlıyordu. Ağzımdan daha yarım yamalak "pepe" sözcüğü çıktığında, papağan gibi, aynı şeyi dur durak bilmeden tekrarlayacağımı, eninde sonunda onu çaresiz bırakıp bıktıracağımı bildiğinden, hemen yol yakınken evimizin kilerine yönelir, kocaman bakır "teşt"in üzerindeki tahta kapağı kaldırır, içinden bir parça "pepe" alır, kapağı tekrar yerine yerleştirir, benim aç gözlerime sokarcasına, "pepe"yi elime tutuşturuverdi. Ben doymak nedir bilmeyen bir iştahla "pepe"mi kemirmeye başlardım. Benim "pepe"min ekmek olduğunu siz de bal gibi anladınız!

Bazen anamın eteklerini durup dururken çekiştirmeye başladığımda, "pepe, pepe" diye tutturacağımı şıp diye anlar, beni kucakladığı gibi öper, avlunun bir kenarında duran geniş mutfağımıza götürür, yanıbaşına çektiği hamam tahtasının üstüne oturtur, önüme kocaman bir "uskura" koyardı; hani şu, su tasının biraz daha büyüğü, tencere veya kuşhanenin biraz daha küçüğü, kulpsuz, kalaylı bakır kap... Sonra doğduğuna doğacağına bin kez pişman, talihine küskün, ilelebet, sonsuza dek asılmaya mahkûm yoğurt torbasını çengelinden aşağı indirir, torbanın ipini gevşetir, ağzını açar, içinden tahta kaşıkla birazcık yoğurt, daha doğrusu suyu süzüldüğü için artık iyice kalınlaşmış süzme yoğurt alır, "uskura"ya koyar, avlunun ortasında duran su kuyusundan, köhnemiş eski tulumbayla su çeker, yoğurdun üstüne bir tas döker, kaşıkla bir güzel karıştırır, bir güzel köpürtür, sonra da bir parça "pepe" alır, ayranın içine sabırla minik minik doğrardı. "Uskura"nın içinde büyük bir hasretle kucaklaşıp özlem gideren bayat ekmekle ayran, sevinçlerinden çoğalır, şişer, neredeyse "uskura"dan dışarı taşardı. Ayran çorbası veya "pepe" çorbası hazırlanırken, ben sabırsızlıktan ve de beklemeye tahammülüm olmadığından, alelacele önümdeki "uskura"ya yumulur, sonsuz bir iştahla ve telaşla, üstüme başıma döke saça yemeğe çalışırdım. Anam da beni dikkatle ve hayran hayran seyrederdi. Daha sonra beni kendi başıma bırakır, yarım bıraktığı işine dönerdi: çamaşır leğeninin başına çöker, buğday ayıklar, yahut da koruk salçası yapmaya koyulurdu...

Aslında o yaşlarda, yani boyum bir karış kadarken, bütün bunların hiçbirini bilmiyor, anlamıyordum. Sadece anamın tekdüze hareketlerini boş gözlerle izliyordum. Şimdi eğri oturup doğru konuşalım! Anamın çamaşır yıkadığını veya buğdayın içinden, kesinlikle şeytanın karıştırmış olduğu o minik taşları ayıkladığını nereden ve nasıl bilebilirdim? Dahası, ben buğdayı bile tanımıyordum. Hatta hatta benim "pepe"min buğdaydan yapıldığını bile bilmiyordum...

"Pepe" yiyerek, "bu, bua" içerek boy atıp gelişiyordum. Boyumla beraber ağzımdaki dişlerimin sayısı da giderek artıyordu. Aslında o günlerde sayılar hakkında da pek bir şey bilmediğimi söylemem gerekir. Dişlerimin sayısı artıyordu derken, kastettiğim, "pepe"min yanısıra artık başka şeyler de çiğnemeye başladığımdı: kuru üzüm, ceviz içi, pestil, "kesme"...

Dişlerim bir taraftan artıp çoğalırken, diğer taraftan çocukça icat ettiğim sözcüklerin yerini, yavaş yavaş ana dilimin bazı sözcükleri gelip alıyordu. Giderek "pepe"ye artık Ermenice "hets", suya da "çur" diyordum.

Benim iki veya üç yaşındaki sözcük dağarcığıma, kelime hazneme, yani ekmek ve suya, hemen hemen aynı günlerde, bir üçüncü kelime daha gelip yerleşti. Bu kelimeyi bana ilk kez babam Sıke öğretti. Oysa suyu ve ekmeği anam Hıno öğretmişti. Boyum iki karış falanken, babam beni kucaklar, dizlerinin üstüne oturtur, saçlarımı, yanaklarımı okşayarak sorardı.

"De hele oğlım, sen nerelisen?"

O günlerde, doğrusunu söylemek gerekirse, babamın bu sözlerinden hiçbir şey anlamıyordum. Daha da açıkça ifade etmem gerekirse, babamın bu sorusundan ne anlamam gerektiğini ve de ne cevap vereceğimi de bilemiyordum. Ebem, şu yaşlı cahil kocakarı Kure Mama, daha beni doğurttuğu ilk günden, kabak kafamın şekline, yani şekilsizliğine bakıp, tecrübelerini de konuşturarak, babamın kulağına eğilip usulca, her ne kadar benim pek parlak zekalı olmayacağımı, belki de geri zekalı olabileceğimi fısıldamış ve babama ilk müjdeyi böylece vermişse de, babam, Kure Mama'nın bu sözlerini biraz hafife almış, hatta ebelik hediyesi olarak verdiği minik gümüş enfiye kutusunu Kure Mama'nın azımsamış olabileceğine yormuş, ayrıca onun artık iyiden iyiye bunadığını düşünerek bu münasebetsiz laflarına asla katılmamış olacak ki, bana bir şeyler öğretmek için çabalayıp duruyordu. Benim iki yaşındaki boyuma bakmadan, sanki kilisenin papazı Der Arsen'in kutsal İncil'i önünde ant içmiş gibi, kendince ekmek ve suya eşdeğer bir üçüncü kelimeyi bana öğretmek için çırpınıyordu. Avlumuzdaki arkın kirli sularıyla oynadığımda, bahçedeki solucanlarla sohbet ettiğimde, evimizin delik deşik duvarlarında yuva yapmış eşek arılarını kovalamaya çalıştığımda, beni kucakladığı gibi sedirin baş köşesinde yanına oturtuyor, yüzümü, saçlarımı okşayarak soruyordu.

"Söle Margos, nerelisen?"

Sonra da gözlerini gözlerimin içine dikerek ve gülerek, kendi sorusuna kendisi cevap veriyordu.

"Heredanli!"

Ben Kure Mama'yı haklı çıkarırcasına ne babamın söylediğini anlıyor, ne de vereceğim cevabı biliyordum. Ancak boş gözlerle onu izliyor, bana diktiği simsiyah gözlerine bakıyor, dudaklarından dökülen kelimelerle oyun oynar gibi sadece sırıtıp gülüyordum. Babam da benim gülücüklerimi kahkahayla karşılıyor, sonra gene bana dönüp ciddi ciddi tekrarlıyordu:

"Hele söle, Heredanli de!"

Babam, boyumun artık üç karış olduğu günün birinde, dudaklarımdan harf harf, hece hece dökülen, yarım yamalak "He-re-danli" deyişimi duyduğunda, önce kulaklarına inanamamış, sonra da benim bu sözcüğü oyun oynarcasına tekrarlamama o kadar çok sevinmişti ki, o gün galiba babamın gözlerinde ilk kez, bilmeden sevinç ve mutluluk gözyaşlarına sebep olmuştum. Ne anlama geldiğini bilmediğim, ama giderek haz duyduğum bu sözcüğü her tekrarlayışımda, babam beni büyük bir sevinçle kucaklıyor, yanaklarımdan, alnımdan öpüyor, göğsüne sıkıca bastırıyor, hemen cebinden yiyecek bir şeyler çıkarıp bana veriyordu. Bunlar bazen bir avuç şamfıstığı, üç beş antepfıstığı, badem içi, fındık, ceviz, badem şekeri, leblebi şekeri, kuru üzüm, kayısı kurusu, elma kurusu, pestil, dut kurusu, kuru incir, "alüce" gibi şeylerdi. Ben bütün bunları yiyerek, saçlarım ve yüzüm okşanarak, Pavlov'un köpekleri gibi şartlanmıştım. Babam, beni her defasında kucağına oturtup veya karşısına alıp saçlarımı okşadığı, bir elini ceketinin veya yeleğinin cebine sokup, bana yenecek bir şeyler vermeye hazırlandığında, ardındaki sorunun ne olacağını artık biliyordum. O da zaten gecikmeden soruyordu:

"De hele benım aslan oğlım. Sen nerelisen..?"

Gözlerim babamın cebinde, cevabı hemen yapıştırıyordum.

"Heredanli..!"

Ben, üç kelimeden fazlasını ezberlemekten aciz, ama ezberlediği üç kelimeyi de büyük bir hünermiş gibi tekrarlamaktan bıkıp usanmayan papağan misali, dersini iyi ezberlemiş öğrenciler gibi, her defasında artık hiç gecikmeden, hiç yanılmadan ve kendimden gayet emin, cevap olarak "Heredanli" dediğimde, babam da Kure Mama'nın hakkımda ne kadar yanılmış olduğunu büyük bir keyifle, içten içe çoğalan büyük bir sevinç ve gururla kanıtlamak istercesine anama sesleniyordu:

"Hıno, dinle hele, oğlımın dediğıni dinle!.."

Anamsa, benim söylediklerimi sanki hiç duymamış, babamın bana o sihirli sözcüğü öğretmek için gece gündüz çabalamasından sanki habersizmiş gibi, o da yanıma yaklaşıp gülerek soruyordu.

"Anan sahan heyran! De hele benım paşşa oğlım, sen nerelisen?"

Ben gene gülücüklerime gülücükler katarak, anama karşı biraz da şımararak cevabımı veriyordum.

"He-re-dan-li.."

Babamın sevincine anamın da sevinç gözyaşları gelip eklendiğinde, bu kez ikisi birden yanaklarımı okşuyor, beni yere göğe koyamıyorlardı:

"Efferım! Efferım, sen çoğh yaşiyasan!"

"Çoğh yaşiyasan, lao. Çoğh yaşiyasan, böyüyesen, gidesen bızım doğdığımız Heredan'i sen de göresen..."

Ben, onların bu sevinçlerini, çocuksu içgüdülerimle seziyor, hissediyordum ama, o arada her ikisinin de yanaklarına süzülen gözyaşlarının, kederden mi yoksa sevinçten mi kaynaklandığını doğrusu pek anlamıyordum.

Zamanla nihayet ağzımdaki dişlerin sayısı bizim kapı komşumuz, köse Kalaycı Sago Dayı'nın sivri çenesinde sakal diye uzatıp etrafa caka yaptığı, birkaç sarı telin sayısına denk olunca, babamın dişlerini çektiği Kürt köylülerin zaman zaman armağan olarak getirdikleri sert kabuklu Siverek cevizlerini, Ergani'nin yanıbaşındaki Meryem Ana dağının eteklerinde yetişen payam ağaçlarının nefis bademlerini dişlerimle kırıp, içlerini maymun gibi çıkarıp yiyebiliyor, mideme indirebiliyordum artık. Bu tür işler için, daha önceleri yaptığım gibi, öyle uzun uzadıya, sokağımızdan, yani "küçe"mizden bir taş parçası bulmak için boşuna zaman harcamıyordum. Çünkü dişlerimin artık Hançepek'in Direkçi Sokağı'ndaki yamru yumru ihtiyar taşlardan çok daha kuvvetli, çok daha sağlam olduğunu adım gibi biliyordum...

Kure Mama istediği kadar başındaki kınalı kırmızı saçlarının tellerince deneyimli ve işinin ehli olduğunu söylesin, istediği kadar İncil'i ezbere okuyan kilisemizin papazı Der Arsen gibi, kendisinin de çocukları analarının rahminden 'fırt' diye çekip almayı ezbere bildiğini, hatta papazın İncil'i tersinden okuyamadığı halde, kendisinin, baştan geleceklerine kıçtan doğmak isteyen geri zekalıları dahi büyük bir beceri ve hünerle doğurttuğunu, dolayısıyla bu işin kendisine doğuştan Tanrı vergisi olarak verildiğini vaaz eylesin, hatta hatta kafamın şekline şemaline bakarak daha ilk günden benim "ehmakın biri"

103

olacağıma istediği kadar hükmetsin, bu tür teşhislerde asla yanılmadığını istediği kadar söylesin, velhasıl ister övünsün, isterse dövünüp dursun, artık ben Kure Mama'yı çatlatırcasına kesinkes biliyordum ki, adını taşıdığım, ama yüzünü babamın dahi hatırlamadığı büyük babam, yani dedem Mıgırdiç; eski bir vesikalık resimden büyütülmüş, yüzünün yarısında Arap harfleriyle kimbilir hangi devlet memurunun imzası bulunan, fesinin altındaki kapkara gözleriyle bizleri yıllarca kerpiç evimizin çivit badanalı duvarından solgun bir fotoğraf çerçevesi içinden seyreden, babamın biz çocuklarına sık sık "böyük abem Harput'ta kolecde okımişti" diye gururla bahsedip gösterdiği ve adını diğer bir kardeşime vererek anısını yaşatmaya çalıştığı büyük amcam Apraham; yine "Kafle"de, hastalıktan ve Fransız toplarının şarapnel parçalarından Urfa yollarında nasibini alıp ana kucağındayken göçüp giden diğer amcalarım Nışan ve Haçadur; ve diğerleri, ve diğerleri, ve diğerleri, ve tümü, Birinci Cihan Harbi'nin o kapkaranlık günlerinde, sefalet, yokluk ve hastalık içinde, doğdukları topraklardan çok uzaklarda, belki Şam'da, Halep'te, Der Zor'da, Anadolu'nun bitmez tükenmez çileli yollarında, Urfa, Antep, Adana ovalarında 'bir semti meçhule' doğru dağılıp, yokolup gitmişlerdi. Anamın zaman zaman Kürtçe dediği gibi, "berdan berdan" olmuşlar, yani parça parça bitip tükenmişlerdi. Sonra bu parça parça, bu "berdan berdan" olan insanların bir kısmı, alın yazısı denen, o kargacık burgacık, o hangi dilde ve hangi harflerle yazıldığı belirsiz, ama her alında bugüne kadar yazılı olduğu varsayılan kaderin cilvesiyle, zamanla birbirlerini bulmuşlar, ama kaybettikleri ana, baba, kardeş, oğullardan öte, özlemi yüreklerinde hiç bitmeyen, çocukken ayrıldıkları toprakları, kendi doğdukları köyleri Heredan, anılarından hiç silinmemiş, aksine, hafızalardan diriltilip beyinlere nakşedilmiş, yüreklerinde daima kutsal bir tapınak, kutsal bir yuvaya dönüşmüştü.

Veee, Heredan kanımızdan bir damla gibi, hep damarlarımızda dolaşır olmuştu. Ekmeğimiz biraz Heredan'dı, suyumuz biraz Heredan. Üzümümüz, pestilimiz, bademimiz, aslında en doğrusu ve kısacası, tatlı, güzel, lezzetli olan her şey bir parça Heredan'dı ve Heredan özlemi taşıyordu.

"Bu incir çoğh datli. Tadi bızım Heredan'ın incirıne benzi..." diyordu, babamın anası Saro nenem ve taze yumuşak inciri, dişleri tümden dökülmüş damaklarında ezerek yiyordu.

"Teşt" dediğimiz kalaylı bakır teknede yoğurduğu hamuru başıma yerleştirip, beni fırına ekmek pişirtmek için gönderen anam, fırından döndüğümde, beni bir nevi ödüllendirmek, daha doğrusu hiç de zevkli olmayan, hatta angarya niteliği taşıyan bu tür işleri bana sevdirmek gayesiyle cebime bir avuç dut kurusu doldururken kulağıma şöyle fısıldıyordu:

"Bu tut çoğh güzel. Bızım Heredan'ın tuti kimi datli. Hani sahan anlatidım ya, küçükken tut yemağa çığhmiştım, düşmiştım, kolımi kırmiştım. İşte o ağacın tuti kimi... Al, ye!"

Ben o yaşlarda, Diyarbakır "küçe"lerinde, birazcık "Heredan'ın tuti kimi...", "Heredan'ın armudi kimi...", "bu su çoğh savuğ, eyni bızım Heredan'ın Meleyni Çeşmesı'nın suyi kimi...", "hele bah, bu su sankim Zakar Çeşmesı'nden geli..." cümleleriyle büyüyor, sonra da büyüdüğüm için de dayımın yanına demirci çıraklığına gönderiliyordum. Alnında biriken, sonra da damla damla demirci örsüne dökülen, kızgın demir üzerinde hemen buharlaşan teriyle ekmeğini kazanan bu adamın, dayım ve ustam demirci Haço'nun teri de biraz Heredan kokuyordu. Dayım köyden gelenlerle ya Kürtçe ya da Heredan'da öğrendiği Zazaca konuşuyordu. "Yev, dü, hire" diye Zazaca 'bir, iki, üç' diyor, yapmış olduğu nal mıhlarını köylünün avucuna sayıyordu. Sonra o yörelerden gelenlere bir zamanlar doğduğu, ama çocukluğunu yaşayamadan ayrıldığı Heredan'ı soruyor, aldığı cevaplar bazen yüzünde bir gülümseme, bazen bir tebessüm, bazen de kedere dönüşüyordu. Heredan özlemi, Heredan tutkusu hep yüreğinde, örsünün başında, çekici elinde, kızgın demirleri dövüp, karasaban, orak veya tilki kapanı yapıyordu.

Bana öyle gelir ki, dayım çoğu kez kendi elleriyle yaptığı o karasabanları, o orakları, büyük bir özlemle sanki sırtlayıp yola çıkıyor, Heredan'ın dağlık, sarp kayalıkları arasına sıkışmış daracık tarlalarında toprağı sürüyor, boy atmış sarı buğday başaklarını, arpa, darı, "gılgıl" ve yulafları, yine kendi elleriyle yaptığı bu keskin orak ve tırpanlarla biçiyor, ürünü sırtlıyor, getirip baba evinin kilerlerine tıka basa dolduruyordu. Tıpkı seneler önce aynı şeyi yapan babası

Halo veya asıl adıyla, dedem Garabet gibi. Yine öyle gelir ki, benim körük çekerken güçlü pazularını seyredip imrendiğim dayım, çekiç darbeleriyle artık son şeklini verdiği bir kızgın demir parçasını, 'cass' diye soğuk suya daldırdıktan sonra, bugüne dek yaptığı yüzlerce kurt, tilki ve tavşan kapanlarından birini kaptığı gibi bir kış günü doğruca Heredan dağlarına koşuyor, karlarla boğuşarak tilki avına çıkıyordu.

Heredan, Heredan, Heredan, baba ocağı, ana kucağı... Tüm bir kuşak, çoluk çocuk, senden koptu, koparıldı, parça parça, "berdan berdan". Ama seni hiç unutmadı, unutamadı. Dudaklarda öpücük, gülücüklerde hüzün, kalplerde özlem oldun. Mezarlar üstünde dikilen taşlarda nakış oldun, süs oldun.

Heredan, Heredan, Heredan... O taşlardan, o mermer haçlardan bir yenisini de, daha dün diktik babam Sıke'nin İstanbul Şişli'deki mezarının başına. Mermerden bu haçın üzerine Ermenice harflerle onu sonsuza dek en çok mutlu edeceğine inandığımız adını yazdık:

Heredanlı Sarkis Margos, 1911-1989.

DİZİN

Diyarbakır Surp Giragos Kilisesi mütevelli heyeti üyeleri ve
Ermeni cemaatinden bir kesit : Diyarbakır, 1950'li yıllar...
(Soldan sağa) Ön sıra : Terzi Antranik Şirikçi; İstanbul'dan konuk
papaz Der Garabet(?); Diyarbakır papazı Der Arsen Çöz.
İkinci sıra : Satiköylü 'nazır' Emin Karakaş ve oğlu
Agop Karakaş / ceketli /.
Üçüncü sıra : Kumaşçı Faik Ayık; Sobacı Ramazan (Ohannes
Uzatmacıyan); papaz yamağı, Yemenici 'Şişko' Agop (Sarafyan).
Arka sıra :Dişçi Ali (Sarkis Margos); Dabağ Karnik (Dabağ)

İÇİNDEKİLER